革マル派の死滅

熱き黒田寛一を蘇らせよう

松代秀樹 著

プラズマ出版

革マル派の死滅——熱き黒田寛一を蘇らせよう

目次

はじめに……11

Ⅰ　死姿……13

仏さん――『解放』二〇二四年新年号　14
格調はきわめて低い　14
見せかけ　14
漫画で雲の上に乗った二人は卑弥呼と日本武尊なの？　15
お経の掲載か　16

おのれの心の空洞に棲まう民族の基礎づけ――笹山登美子のロッタ・コムニスタ批判　18
一　みずからが西側帝国主義勢力の一翼たるの実をあらわに　18
二　メッセージの改竄を隠蔽するための言辞　19
三　神・黒田寛一にすがりついての自己正当化　20
四　マルクスの「労働者は祖国をもたない」を否定するために苦心惨憺　21
五　世界革命を各国革命の算術的総和へと歪曲　23
六　「民族は非存在ではなく仮象実在である」と語るのは唯物主義丸だし　26
七　ロッタ・コムニスタに吐きつけた唾は自分自身に　31

八　自分がなく、中国とロシアの権力者に恨みつらみを言うことだけが〈反スタ〉 33

仮象について 36
一　「仮象実在」——笹大和巫女の一つ覚え 36
二　ヘーゲルの「あらわれ出る」の模倣——神の顕現の世界への逃避 39
三　黒田寛一の「仮象」の説明を検討する必要がある 42
四　マルクス『資本論』「商品の物神的性格」のなかの「仮象」——わが仲間から 47

II　われわれの巨歩と拠点……51

反スターリン主義運動を再創造する闘いの巨歩をふみだす——二〇二一年一月一日 52
「死んで生きる」について 55

III　死の病……61

〔1〕「解放」がおもしろくないのはなぜなのか? 62
〔2〕森喜朗の傲慢 63

〈3〉菅政権へのお願い――「解放」最新号もくだらない 65
〈4〉糸色望さんのコメント 67
〈5〉メタモルフォーゼ問題にみられる同志黒田寛一の組織づくり上の欠陥をえぐる 69
〈6〉宇宙人との戦争？ 70
〈7〉「異常な株高」とただ驚くばかり 71
〈8〉「莫大な富を独り占め」という怒りの俗人性 73
〈9〉幼くてつまらない文体 74
〈10〉「人民」の外側から菅政権にお願い 75
〈11〉「革マル派」現指導部の組織建設・内部思想闘争の今日的腐敗をあばく 76
〈12〉われわれは内部思想闘争をどのように展開すべきなのか 77
〈13〉「労働者の方々」と労働者を敬わせる 78
〈14〉資本家に期待されることを期待するのが即自的労働者?! 79
〈15〉米・中の自己正当化の言への幻惑 82
〈16〉〈反スタ〉なんぞクソ食らえの解釈頭 84
〈17〉日本の三流帝国主義への転落――変異種の蔓延 87
〈18〉「ドルと石油取引とのリンク」とは？ 88
〈19〉リードでは「「属国」日本を総動員する」が消えた 92
〈20〉「日米同盟の鎖につながれた日本」論は消滅した 93

〈21〉「「属国」日本」を枕詞に 94
〈22〉「革マル派」ロートル（老頭児）の悲哀 95
〈23〉イスラエル・プロレタリアートへの呼びかけの欠如 97
〈24〉「パレスチナ独立国家樹立」はプロレタリアートの課題なのか 99
〈25〉アメリカ案と同水準のパレスチナ問題解決案 101
〈26〉軍専制権力打倒をめざして不服従運動を展開するミャンマーの労働者・人民 104
〈27〉ミャンマーの労働者・人民の闘いを支援しよう！ 108
〈28〉私の批判から逃げまわっているかのようだ 111
〈29〉苦肉の策――「「属国」日本帝国主義」と語る 112
〈30〉やめられない！　反米の人士たちへのすがりつき 114
〈31〉「公務労働者は搾取されていない」と公言していた！ 116
〈32〉二〇一三年に労働者同志が党常任の変質を批判 118
〈33〉中央指導部批判第三弾として笠置高男論文を掲載 120
〈34〉松代秀樹「同志黒田寛一のレジメの政治的利用」という論文を第四弾として 121
〈35〉「「属国」日本」という言葉はたった二回だけ 122
〈36〉「革マル派」〝若手〟官僚・守門勘九郎の思考力の激減！ 123
〈37〉第五弾として松代秀樹「Aさんなる人物は芝田進午に依拠していた」論文 126
〈38〉弥縫に弥縫 127

〈39〉ふたたび感性的直観力・思惟能力の衰退＝自己破壊について　128
〈40〉悲惨！　日本語も満足に書けなくなった　131
〈41〉指導的メンバーの頭は液状化現象を起こしている！　133
〈42〉日本の外務官僚の自慢　136
〈43〉みたび官僚の頭の液状化現象について　137
〈44〉私の批判に戦々恐々！　黒田寛一の陰に隠れる・こすい人物　139
〈45〉論敵たる私の理論的解明の姑息な模倣　141
〈46〉黒田寛一を崇め奉るだけの・政治主義で気の小さい几帳面な人物　143
〈47〉黒田寛一の内面に迫らなければならない　145
〈48〉「鎖で縛られた日本」規定の正当化のために苦心惨憺　148
〈49〉弥縫の破綻の極致――〈日米安保破棄〉＝「鎖」の切断＝日本の自立を願う　150
〈50〉こんどはあまり文章を書いたことがないメンバー　151
〈51〉ついに一面トップ論文、インターネット上に掲載なし　153
〈52〉○人組の支配する組織のチビ官の嘆き　154
〈53〉流行の「党員でもある企業経営者」という句　156
〈54〉今度は、すなおに闘争報告だけ　157
〈55〉夏の一号休み前の安堵　158
〈56〉アフガニスタンでタリバン勝利　159

〈57〉タリバンのタの字もなかった！ 160
〈58〉タリバンについての付記があった。——○人組の名誉のために訂正 161
〈59〉「米中の激突」の構図への逃走 162
〈60〉ハイター原液を頭からブッかぶった○人組——脱色!! 164
〈61〉プロレタリア・インターナショナリズムも脱色 166
〈62〉「中国ネオ・スターリン主義」分析も脱色 167
〈63〉脱色剤＝次亜塩素酸ナトリウム余談 168
〈64〉首相菅の最期のあがき 170
〈65〉菅義偉の首相職しがみつきはとん挫 171
〈66〉テレビのニュース番組の水準 172
〈67〉「イスラミック・インター - ナショナリズム」の怪 173
〈68〉菅義偉と同様に○人組は自分の首を切ったらどうだ！ 177
〈69〉気弱におずおず 178
〈70〉珍奇なスローガン 179
〈71〉○人組よ！　海外からの批判にどう答えるのか！ 181
〈72〉「イスラミック・インター - ナショナリズム」へのインドからの批判の全文 182
〈73〉返答はなかった 184
〈74〉同志黒田寛一の無謬神話を克服せよ！ 185

〈75〉まるで活劇 186
〈76〉打たれ強い企業、打たれ弱いアナウンサー、打たれたのを感じない○人組 187
〈77〉中央学生組織委員会論文は特色なし 189
〈78〉ノーベル賞を受賞した真鍋淑郎の理論に思う 190
〈79〉真鍋叔郎の理論に思うことの追加 194
〈80〉なぜか紹介する文字数が少ない。どうしたのだろう？ 197
〈81〉「「連合」の脱構築」の空叫び 198
〈82〉だまされた！ 浅はかだった！ 199
〈83〉職場でいかにたたかうべきなのか――黒田寛一の感覚を超えるもの 202
〈84〉端緒は終局を決した 205
〈85〉アベノマスクの罪 206
〈86〉テスラ、株式時価総額一兆ドル超え 207
〈87〉前途多難な水素ステーションの設置 208
〈88〉「革マル派」が何か変な異人種にのっとられたみたいだ 210
〈89〉トヨタの苦悶 211
〈90〉ホンダ、部品メーカーの選別・淘汰を開始 213
〈91〉過去のしがらみがなくなった 214
〈92〉魚も鏡で自分がわかる。ましてや人間は。組織の成員は？ 215

〈93〉ライオンも狩りをする。ましてや人間は 217
〈94〉黒田寛一の生前から、革マル派は彼を信奉する者の集団になっていた 218
〈95〉日本はどうなの？　日本でも前衛党は不在なの？ 221
〈96〉脳ミソの干上がり 222
〈97〉芸術理論論文の執筆は二〇一七年八月十四日だった 223
〈98〉私の批判を気にして精いっぱい虚勢をはった 224
〈99〉女性や六五歳以上の者の搾取を強化して延命を図る日本資本主義 225
〈100〉労働者階級は革命の主体ではなく救済の対象！ 226
〈101〉老いぼれたアメリカ帝国主義、その権力者のむなしいあがき 227
〈102〉脳神経細胞はいくらでものびる！ 228
〈103〉コオロギ食で生き残りをはかるエンジン部品企業 230
〈104〉脱炭素化にネガティブとみられていることの払拭に懸命——トヨタ 231
〈105〉仏さまに導かれているという信仰心 232
〈106〉かつての若手のホープも健在?? 233
〈107〉中国のＥＶ企業、乗用車の分野でも日本に進出 234
〈108〉神の国への昇天と脱色化、その隠蔽に必死 235
〈109〉斎藤幸平に涎たらたら！　エコロジストの党に転身！ 236
〈110〉自分の体を脱色したうえで緑色に染めた！ 238

〔111〕〈擬似資本主義〉——中国の規定を玉虫色に 239
〔112〕ＪＲ総連元役員・四茂野修の後塵を拝する 241
〔113〕何という政治的感覚をしているのか——独占資本家どもの尻馬に乗る 244
〔114〕「革命的ケルン」という言葉による展望喪失の隠蔽 245
〔115〕職場に誰もいないかのような現実感覚のない春闘方針 246
〔116〕なぜ、外側からロシア・ウクライナの労働者にえらそうなことを言うのか 248

はじめに

二〇二三年、われわれは巨大な前進をかちとった。それは、国際活動において、そしてわれわれの職場および労働組合での闘いにおいて、しめされた。これらの闘いをめぐる内部思想闘争を激烈に・かつ・執拗にくりひろげることをとおして、われわれはわが組織そのものを、質的にも量的にも強化し拡大してきた。

この内部思想闘争をとおしてわれわれが明らかにしてきた理論的教訓のひとつは、次のことであった。われわれは、われわれがつくりかえつくりだしてきた階級関係および階級闘争の現実とこの闘いを遂行してきたわれわれ自身を変革する、という実践的＝場所的立場にたつのだ、ということが、それである。われわれは、われわれのこの実践的＝場所的立場を、階級闘争論的立場とよぼう、と確認した。

われわれは、実践的には、自分が実存し闘っている労働組合あるいは職場に——さらには他の労働組合や職場に——われわれの細胞を創造するためのグループないし左翼フラクションを確立するためには、これを構成するメンバーたちからなる会議を、万難を排して定期的に開催しなければならない、ということを、教訓としてつかみとってきた。育てるべきこれらのメンバーたちに、自分がこの組織たる「われわれ」の一員であるという自覚をうながし、組織性を付与するためには、会議の定期的開催が不可欠なのだからである。

われわれは、昨一年間の職場闘争の展開および内部思想闘争をとおして身につけてきた新たな実践的感覚と理論的教訓を、おのれ自身と自分自身の実存する場での闘いに貫徹して奮闘する決意である。みなさん！　ともにたたかおう！

われわれのこの闘いは、同時に、変質し腐敗した「革マル派」中央官僚派を革命的に解体し、反スターリン主義の運動と組織を再創造するための闘いであった。われわれ探究派のイデオロギー的＝組織的闘いによって、中央官僚派の組織は死滅した。民族排外主義をあらわにし、日本人としてのみずからの民族意識を基礎づけることに汲々としているそのさまに、彼らの死姿はしめされた。

むごたらしいウクライナ戦争とガザ戦争、そして朝鮮半島・台湾をめぐる東アジアの危機として、東西の帝国主義陣営の抗争が爆発している今、一切の民族主義の克服が急務である。

全世界の労働者・勤労者・学生・知識人のみなさん！　プロレタリア・インターナショナリズムの立場に立脚して、東西帝国主義陣営の軍事的抗争を打ち破る闘いを展開しよう！

本書に主体的に対決されることを望む。

二〇二四年一月一日

著者

Ⅰ　死姿

仏さん――「解放」二〇二四年新年号

格調はきわめて低い

「解放」第二八〇〇号＝二〇二四年新年号が出た。格調はきわめて低い。

ネタニヤフはひどい、プーチンはひどい、台湾海峡と朝鮮半島では一触即発の核戦争の危機だ、と言っているだけ。

ひどい、ひどい、危機だ、危機だ、とただくりかえしているだけのものである。

見せかけ

格調高いように必死で見せかけているのは次の部分だけである。

「まさに現代世界は、あらゆる意味で〝人類滅亡の危機〟に立たされている！」「〈反帝国主義・反スターリン主義〉の旗のもと、われわれはさらに飛躍し前進しなければならない。」と。

演者が「人類滅亡の危機」を叫んでいる横で、＜反帝国主義・反スターリン主義＞と書かれた旗がバタバタと風に吹かれている、というイメージが浮かんでくる。

「全人類的価値の優先」を叫んだゴルバチョフ張りの「人類滅亡の危機」である。当然のことながら、階級性は何もない。この「人類滅亡の危機」を救うのが＜反帝・反スタ＞だ、ということなのである。すでに旗に書かれた文字でしかない＜反帝・反スタ＞の中身は、全人類的立場の開陳なのである。

漫画で雲に乗った二人は卑弥呼と日本武尊なの？

漫画で、プーチンと習近平に切りかかっている二人は、いったい誰なのであろう。

女性は、その古めかしい風体からすると巫女のように見える。馬に乗り刀をふりかざしたその姿は、朝鮮半島から日本列島にわたってきた騎馬民族の血をひく卑弥呼のようだ。あるいは、ウクライナ民族の祖先と見立てたコサック兵なのかもしれない。日本民族たる卑弥呼とウクライナ民族たるコサック兵の合体だ。

さっそうと竜にまたがる男は、日本武尊（やまとたけるのみこと）の象徴なのだろうか。

「解放」新年号の漫画で、その年の干支（えと）の絵を描いたことがあるのだろうか。

巻の説明では、「二〇二四年（令和六年）は辰年で、動物にあてはめると竜（龍）ですが、竜は十二支で唯一の想像上の動物で、権力や隆盛の象徴です」、とある。

中央官僚は、やはり、権力の象徴を出したいのであろう。ゼレンスキーなどの権力者や既存の権力が好きなのだろう。あこがれるのだろう。さらにはまた、昇り竜にあやかりたいのだろうか。

彼ら中央官僚は、干支の竜に乗る姿をもって、自分たちを伝来の日本文化の守り手として押し出し、五〇万年前の古モンゴロイド由来のヤポネシア人の血が自分たちに流れていることを自己確認したいのであろう。

彼ら中央官僚にとって、これらはすべて雲の上の話なのである。黒田寛一の霊を神として崇め奉る世界での出来事なのである。

彼ら中央官僚の意識と下意識が、この漫画に見事に露出している、と言ってよい。

お経の掲載か

新年号のトップ論文の最後の締めくくり「反スターリン主義運動の原点」は黒田寛一の文章の引用だけである。その文章の今日的意義の確認も、現在からするその捉えかえしも何もない。自分はその文章をどう感じたのか、ということさえもがない。まったく何もない。

ということは、それはお経である。それを唱えさえすればいい。ありがたい。ありがたい。

こんないいお経を唱えられるのも「「地上の太陽」たるわが革マル派」だからだ。最後の最後に、こう確認して終わり。

ぶっせつまーかーはんにゃーはーらーみーたーし〜んぎょう〜

なんみょうーほうーれんげーきょう〜　なんみょうーほうーれんげーきょう〜

中央官僚の仏さんに
なんまいだー　なんまいだー

二〇二二年一二月二三日

おのれの心の空洞に棲まう民族の基礎づけ――笹山登美子のロッタ・コムニスタ批判

一　みずからが西側帝国主義勢力の一翼たるの実をあらわに

「革マル派」中央官僚派は、ついに耐えきれずにイタリアの共産主義組織ロッタ・コムニスタへの反論にのりだした。彼らは「解放」第二七九六号（二〇二三年一一月二七日付）の当該論文のほんのリードだけを、おずおずとインターネット上に掲載した。

その内容は、「「ロッタ・コムニスタ」はプーチン擁護をやめよ！」というものである。

この「プーチン擁護」という批判は、彼ら中央官僚が、米欧帝国主義諸国によるゼレンスキー政権への兵器の供与を熱望しこいねがうのでない者にたいして、「プーチン擁護」と感覚し考えることにもとづくのである。ましてや、その兵器の供与に断固として反対し、その供与を熱望する自分たちを反マルクス主義と批判にする者にたいしては、彼ら中央官僚は、もっとも悪辣な「プーチン擁護」者であるとして、強烈な憎しみを抱くのである。この憎しみの表出が、この反論にほかならない。

これは、彼ら中央官僚が〈プーチン＝ロシア⇕ゼレンスキー＋西側帝国主義〉という図式を自分たちの頭のなかにこしらえて、この両者のどちら側につくのか、と考え、後者の側につかない者は前者の側についているのだ、と感覚していることにもとづくのである。彼らの価値意識は、相対立する諸国家のどちら側につくのか、ということなのである。そして、彼らは、みずからを西側帝国主義の側に位置づけ、自分たちをその西側帝国主義勢力の一翼として観念しているのである。このことは、彼らが全世界のプロレタリアートに不信を抱き、プロレタリア的な階級的立場をとうの昔に捨て去ったことを根拠としているのである。

二　メッセージの改竄を隠蔽するための言辞

「革マル派」中央官僚は、ロッタ・コムニスタからのメッセージを批判するにあたって言う。

「もとより連帯メッセージのなかで何を書こうが目くじらをたてることではないが、それがあまりにも反労働者的＝反マルクス主義的であるとき、それなりの〝お返し〟をするのが礼儀というものであろう。」と。

何と空々しい言葉であることよ。これは、相手への礼儀を失した者が、あたかも礼儀をわきまえているかのように装うための言辞にほかならない。いや、「礼儀を失した」というのでは、彼ら中央官僚の美化になる。

これは、みずからの醜い行為をおおい隠し、なかったことにするための言い草なのである。彼ら中央官僚は、昨年には、ロッタ・コムニスタからのメッセージを切り刻み改竄して、すなわち自分たちの祖国防衛主義への批判の部分をごっそりと取り去って、ロッタ・コムニスタがあたかも自分たちに共感している組織であるかのように見せかけたのであった。右に引用した中央官僚の文は、醜いこの行為をなかったことにするための腐心の作なのである。

まさに、醜さの二乗である。

彼らは、臭いものにふたということだけを考えている連中なのである。

三　神・黒田寛一にすがりついての自己正当化

イタリアの共産主義組織ロッタ・コムニスタを批判して自分たち「革マル派」中央官僚を正当化するために、筆者笹山登美子は一九五六年の黒田寛一の言葉をもちだす。

「血を流してまでも、あくまでも抵抗しつづけるハンガリア労働者のがわにたたないかぎり、問題の解決とはならない。……」と。

ソ連軍のタンクをバックとした自国のスターリニスト政府にたいして、ソビエトを結成してたたかったハンガリア労働者と、自国の労働者に欧米製の兵器を持たせてロシア兵と戦わせているゼレンスキー政権とを同一視するとは、この筆者は何という神経をしているのであろうか。

この論文は、趣旨不鮮明な文章と言い回しでつづられている。筆者の脳みそは液状化現象を起こし、ぐじゃぐじゃになっているようだ。「黒田さんはすばらしい。黒田さんはすばらしい」と呪文のごとくとなえるだけの官僚の御用学者になり果てると、こんなにまで落ちぶれてしまうのだ。

「ささやまとみこ」と打って漢字に変換すると「笹大和巫女」と誤変換してしまった。

四　マルクスの「労働者は祖国をもたない」を否定するために苦心惨憺

ロッタ・コムニスタが強調する「労働者は祖国をもたない」という主張を否定するために、マルクスは「労働者は祖国をもたなければならない」と主張したのだ、と言いくるめるのに、当該の批判論文の筆者・笹山登美子は苦心惨憺である。

そのために、彼女は、「各国革命のプロレタリア的な主体的推進構造を解明したもの」は、同じ『共産党宣言』のなかのマルクスの次の文章だ、とするのである。

「ブルジョアジーにたいするプロレタリアートの闘争は、その内容からではないが、その形式上、最初は民族的である。いずれの国のプロレタリアートも、当面まず自国のブルジョアジーをかたづけなければならない。」

彼女は、この文章を引用するだけで、この文章を自分はどのように理解したのか、ということは書かない。書くと都合が悪いのである。彼女は、自分を意図的にごまかしたのである。

マルクスのこの文章を素直に読み、これを現代に適用するならば、ウクライナのプロレタリアートは、当面まず自国ウクライナのブルジョアジーをかたづけなければならない、すなわち、自国のこのブルジョアジーの権力たるゼレンスキー政権を打倒しなければならない、となるからである。マルクスは、「いずれの国のプロレタリアートも、当面まず自国のブルジョアジーをかたづけなければならない」と言っているのだからである。

これは、いかにも都合が悪い。

そこで、彼女は、マルクスのこの文章に直続しては何も言わないで、しばらく間をおいてから、この文章を「民主主義的任務の遂行からプロレタリア的任務の遂行へ」という展開にすり替えるのである。

この句は、一見すると黒田寛一の論理的理論的展開を踏襲しているものであるかのように見える。だが、この句には、階級として組織されたプロレタリアートはみずからを支配階級にたかめるのだということ、すなわち――『共産党宣言』よりもあとのマルクスの言葉で言えば――プロレタリアート独裁権力を樹立するのだということ、これがない。この国家権力の問題を放擲したところの、「民主主義的任務の遂行からプロレタリア的任務の遂行へ」なるものの押しだしは、場所的弁証法を否定した単なる過程的弁証法の開陳であり、スターリン＝ブハーリン的な二段階戦略のようなものの定式化以外の何ものでもない。

かくして彼女は、中央官僚型二段階過程論の一段階目たる「民主主義的任務の遂行」として、「労働者は祖国をもたなければならない、労働者は他国からこの祖国を防衛しなければならない」という任務の遂行を基礎づけたのである。

すなわち、マルクスの展開を、「いずれの国のプロレタリアートも、当面まず自国のブルジョアジーをかたづけなければならないのであるが、それよりもさらに前に、自国が他国に侵略されたときには、プロレタリアートは、自国のブルジョアジーにつき従って、祖国を防衛するために戦わなければならない、これが民主主義的任務の遂行なのである」、というように、彼女はこっそりと歪曲したのである。彼女は、自分が付け加えた後半をもって、マルクスの展開たる前半を否定したのである。

これは、第二インターの社会民主主義者と同じ手口である。

五　世界革命を各国革命の算術的総和へと歪曲

「革マル派」中央官僚の御用学者・笹山登美子は、『共産党宣言』の「その内容からではないが、……」というくだりを引用したうえで、次のように言う。

「右の叙述は、各国革命のプロレタリア的な主体的推進構造を解明したものであり、他方『ドイツ・イデオロギー』における実現されるべき世界革命の「一挙に、あるいは同時的に」という展開は世界革命の一環としての各国革命の存在論的構造を解明したものとして、まさに統一的にとらえなければならない。そして各国の革命は、このような存在論的および主体的推進の構造をなすからこそ、タテにも（民主主義的任務の遂行からプロレタリア的任務の遂行へ）・ヨコにも（インターナショナリズムにもとづく各国革命の国際的な波及）連続的に完遂されていくのである。」

この御用学者がこのような解釈論を開陳するのは、いったいなぜなのか。

もしも『ドイツ・イデオロギー』の「一挙に、あるいは同時的に」ということを説明するのであるならば、マルクスとエンゲルスは、生産力の世界的発展とプロレタリアートの世界史的存在を物質的基礎としてプロレタリア世界革命は一挙に、あるいは同時的に実現されるということを明らかにしたのであり、この「一挙に、あるいは同時的に」ということは、時間的に同時ということではなく論理的に同時である、ということをあらわしているのである、と言えばいいことである。

「世界革命の一環としての各国革命の存在論的構造を解明したもの」などと言うのは、いかにもまどろっこしい。マルクスとエンゲルスは、ここで、各国革命について論じたのではなく、世界革命について論じたのだからである。どうもこの御用学者は、各国革命に問題をもっていきたいようなのである。それは、なぜなのか。

この謎を解くカギは、各国の革命のタテの側面として彼女が論じていることにある。前節でふれたことをもう一度振り返ろう。「民主主義的任務の遂行からプロレタリア的任務の遂行へ」という展開が、それである。これは、実は中央官僚派独自の二段階過程論なのである。マルクスが『共産党宣言』で言っている「いずれの国のプロレタリアートも、当面まず自国のブルジョアジーをかたづけなければならない」という指針を現代に適用するならば、「ウクライナのプロレタリアートは自国のブルジョアジーをかたづけなければならない」という指針をうちださなければならなくなる、これはヤバイ、ということなのである。そこで、わが御用学者は、それの前に、黒田寛一の論理を踏襲しているかのように見せかけながら、「民主主義的任務の遂行」という独自の過程をつっこんだのである。その腹は、他国から侵略されている国では、その国のプロレタリアートは自国のブルジョアジーにつき従って祖国を防衛しなければならない、これが民主主義的任務の遂行なのである、とする、ということなのである。

そうすると、『ドイツ・イデオロギー』における「一挙に、あるいは同時的に」というのをそのままにしておくとヤバイ、ということに、この御用学者は気づいたのである。マルクス＝エンゲルスのこの世界革命論をそのままにしておくならば、プロレタリアートが祖国を防衛しなければならない国がある、ということを基礎づけることができなくなるからである。いずれの国のプロレタリアートも自国のブルジョアジーを打倒しなければならない、となってしまうからである。そこで、彼女は、世界革命を各国ごとにバラバラにしてしまうことを企てたのである。各国ごとにバラバラにしてしまえば、プロレタリアートが祖国を防衛しなければならない国もあっていいことを基礎づけることができるからである。すなわち、彼女は、世界革命を各国革命の算術的総和としてとらえることにした、ということなのである。これの言い回しが、「世界革命の一環としての各国革命の存在論的構造」なのであり、「各国の革命」の「ヨコ」の側面なのである。でてくるのはあくまでも「各国革命」「各国の革命」なのであり、彼女は、プロレタリア世界革命をいかに、というように問題をたてることはないのである。

マルクスの世界革命論のこのような歪曲のしかたは、スターリンと同じである。彼女はよく勉強しており、スターリンにかんすることがらも勉強している。彼女は、勉強しておぼえた・スターリンのやり口をまねたのである。

「一国社会主義」の防衛と建設を自己目的化したスターリンは、「スターリン＝ブハーリン綱領」において一国革命方式と二段階戦略を定式化したのであった。そのばあいに、これを基礎づけるために、スターリンとブハーリンは、マルクスと同じ「世界革命」という言葉をふんだんに使いながら、マルクスの「論理的に同時」ということを否定するものとして、世界革命を各国革命の算術的総和としてとらえたのである。

わが御用学者は、このスターリンよりももっと悪いところの・第二インター的な祖国防衛主義を基礎づけるために、スターリンの頭のまわし方をまねたのである。

六 「民族は非存在ではなく仮象実在である」と語るのは唯物主義丸出し

御用学者・笹山登美子は、イタリアの共産主義組織ロッタ・コムニスタに反論して、みずからの民族主義を正当化するために、次のように言う。

「民族は非存在ではない」。

「また世界史の今日的現実が物語っているように、民族的対立は非存在であるどころか、世界のあちこちで火を噴いている。民族的対立とは、論理的に言えば、階級分裂という本質的矛盾が・現実的な諸条件のもとで現れでているものであって、仮象実在（シャイン）として存在しているのだ。」

この展開は、唯物（タダモノ）主義丸出しである。

「仮象実在（シャイン）として存在している」というのは、妻のかかあ的表現であるが、これは大目に見よう。ここは、「仮象実在をなす」と表現すればよい。

「民族的対立とは、論理的に言えば、階級分裂という本質的矛盾が・現実的な諸条件のもとで現れでているものである」というのは、物質的対象をわれわれが規定したものであり、概念的規定をなす。このようなものである「民族的対立とは」をうけて、これを「仮象実在として存在する」というように規定することはできない。しつこく言うならば、「民族的対立とは」というように「とは」をくっつけて表現するかぎり、「とは」の前の「民族的対立」は、筆者がおこなった概念的規定をさすことになるからであり、この文全体は、自分がおこなった概念的規定を説明するものであるからである。このような「……とは」をうけて「仮象実在として存在する」と言ってしまえば、民族的対立という概念が、水の入ったコップにさしてあるお箸のように、実在する、ということになってしまうのである。こう言ってしまうのは、概念が現実世界に実在する、と捉える唯物主義なのである。

ここは、「民族的対立とは何々である、というようにわれわれは捉えるのであるが、ここでわれわれが「民族的対立」と規定するところのものは実在をなす」と言わなければ、唯物論ではないのである。

わが御用学者は、われわれが物質的なものを規定する概念と、このように規定されるところの物質的なものとを区別することができないのである。彼女は、頭のまわし方としてはスターリニストと同じなのである。

「民族ないし民族的対立は、非存在なのではなく、仮象実在として存在する」というように論じることそれ自体が、唯物主義なのである。

黒田寛一は、労働力の価値の労働の価格への転形にかんするマルクスの解明と連関して、「労働の価値は非存在であるが、労働の価格は仮象（仮象実在）をなす」というように説明したのであった。わが御用学者は、この説明のなかの「仮象実在」という規定を絶対化しているのである。私もまた右のように言ってきたのであったが、今日的に考えるならば、これは誤りである。「仮象実在」という訳語、したがってこの語で表される概念は誤謬である、といわなければならないからである。ここは、「労働の価値というのはブルジョア的観念なのであり、労働の価格は仮象をなす」、としなければならない。賃金は労働力の価値の貨幣的表現であり、本質的には前払いなのであるが、現実的には労働が実現された後で支払われることに規定されて、労働力の価値は労働の価格として現象する、この労働の価格は仮象にほかならない、ということである。

笹山登美子論文の筆者は、みずからが、民族ないし民族的対立は仮象実在をなすと規定するのであるかぎり、マルクスが労働力の価値の労働の価格への転形を論証したのと同様に、階級対立という本質的矛盾が・どのような現実的な諸条件のもとで・どのようにして民族ないし民族的対立として現象するのか、ということを論証する理論的責務を負う。わが理論家は、この理論的責務をまっとうしたらどうだろうか。

経済学をかじったことがあるわが御用学者が、概念規定とそのように概念的に規定される物質的なものとを区別することができない平板な頭で、おぼえた哲学的カテゴリーをあやつったのでは、馬脚をあらわすだけなのであり、自分の哲学的思惟の底の浅さをさらけだすのが関の山なのである。

平板な頭のわが御用学者が破綻をあらわにせざるをえないのは、いまわれわれは、すでに確立されている概念規定をどのように理解するのかということを問題にしているのではなく、何を・どのように・概念的に規定すべきなのかということを問題にしているのであり、これはきわめて実践的な問題なのだからである。これは、御用学者の手にあまる問題なのである。もちろん、こういう問題は、スカスカ頭の官僚には、よりいっそう手におえるものではない。

ここにおいて、わが御用学者が論じている内容はどうなのか、ということが問題となる。

ロッタ・コムニスタと「革マル派」中央官僚派とのあいだで論争となっているのは、ロシアとウクライナの戦争の問題である。

この戦争は、ロシア国家とウクライナ国家との戦争であって、ロシア民族とウクライナ民族との戦争なのではない。すなわち、現に生起しているものについては、これを、われわれは、「国家的対立」と規定すべきなのであって、「民族的対立」と規定すべきではない。したがって、わが御用学者が展開していることは内容上でも誤謬なのである。現に勃発している事態にかんしては、「民族問題」としてとりあげるべきようなものは何もない。

「国家」という言語体も「民族」というそれもともに、英語やドイツ語の「nation」の訳語なのであるが、それらは日本で独自の発展をとげてきたものなのであり、両者はそれぞれ異なる言語体をなすのであって、われわれはマルクス主義の立場にたって、そのそれぞれをそれ固有の概念をあらわすものとして使用するのである。

いま、かの地で戦争しているのはロシア国家とウクライナ国家であり、前者は、ロシアのブルジョアジーが自国のプロレタリアート支配しているブルジョアジー独裁の国家なのであり、後者もまたウクライナのブルジョアジーが自国のプロレタリアートを支配しているブルジョアジー独裁の国家なのである。両者の政治経済構造の違いにもとづいて、われわれは前者を帝国主義国家、後者を資本主義国家というように規定するのである。

したがって、両者の関係については、これを、われわれは「国家的対立」と規定すべきなのであって、「民族的対立」と規定するのは誤謬なのである。すなわち、物質的対象を「民族的対立」と捉えることそれ自体が誤りなのである。そのように捉える者は、過去にマルクス主義者であったおのれからすでに転向しているのである。

ロシアでもウクライナでも、その国の支配階級と国家権力者は、みずからの民族主義を労働者・人民に貫徹して、彼らを国家のもとに国民として統合しているのである。この民族主義イデオロギーをうえつけられ国家のもとに国民として統合された労働者・人民は、自分たちをふくむところのこの国家の領土に住まう人びとを「民族」というように観念するのである。支配階級による民族主義のイデオロギーの注入ということをぬきにしては、人びとのもつ「民族」という意識を捉えることはできないのである。

今日においてブルジョア国家をいまだ形成していない人びとが「民族」という意識をもっているばあいには、それは、その人びとのなかの資本家階級が労働者・人民に民族主義のイデオロギーを注入していることにもとづくのである。

民族なるもの・あるいは・民族的対立なるものが仮象実在として存在しているなどとするのは、ブルジョア民族主義のイデオロギーをみずからすすんでおのれのものとした者の、自己の意識の表出にほかならない。

わが御用学者が「仮象実在」というような哲学用語をもちだしたのは、国家が「共同性の幻想的形態」と規定されることに目をつけ、この「仮象」と「幻想」とを重ね合わせて、自己を納得させるとともに、この論文を読む者をして、自分と同様にその頭をこんがらがらせるためであったのかもしれない。

七　ロッタ・コムニスタに吐きつけた唾は自分自身に

わが御用学者はロッタ・コムニスタを批判して言う。

「ロッタの主張などは、現実世界とはまったく無縁な観念の雲上での非実践的な解釈・非唯物論・非弁証法的なスコラ的形式主義・概念の実在化・実体論の欠如などなどの誤謬丸出しのものであり、マルクスの実践的唯物論をまったく理解していないことがたちどころにわかるのである。」

よう言うわ！

これは、自分自身に唾を吐きかけているものである。

わが御用学者の「民族的対立は非存在であるどころか、世界のあちこちで火を噴いている」という一文を見よう。

「民族的対立は火を噴いている」だと！

この把握には、火を噴いている実体がない。対立なるものが、あたかもゴジラ・あるいは・火山であるかのように、火を噴いている、というのである。ここでは、民族的対立なるものが実体化されているのである。わが御用学者は、現代世界の現実にかんして、相対立する二実体ないし諸実体を措定することをぬきにして、自分がつくりだした「民族的対立」という概念を実体化するかたちで把握しているのである。

「実体論の欠如」という非難は、わが御用学者にお返ししよう。

しかも、右の把握には次の問題がはらまれている。

「民族的対立」というのは、現実にかんする自分自身の概念的把握である。このようなものであるところの「民族的対立」という概念が、「火を噴いている」、「非存在であるどころ」ではない、というのだから、わが御用学者は、概念を実在とみなしているのであり、概念を完全に実在化しているのである。彼女は、自分が実体化した概念を実在化しているのである。

まとめて言えば、わが御用学者は、概念を実体化しかつ実在化しているのである。これは、他面から見るならば、彼女は、概念が現実世界で独り歩きしているとみなしているということなのだから、これはまったく非唯物論なのである。

「概念の実在化」および「非唯物論」という罵倒もまた、わが御用学者にお返ししよう。

さらに、現実世界ではロシア国家とウクライナ国家とが戦争しているのである。これを、あたかもロシア民族とウクライナ民族とが戦争しているかのようにみなし、「民族的対立」などという観念的被造物をこしらえあげるのは、こしらえあげた人物が現実世界とはまったく無縁な自己の観念の世界で生きていることにもとづくのであり、ただただ〈民族と民族との対立〉という図式を描きたいだけのスコラ的な形式主義に陥没していることを根拠とするのである。

「現実世界とはまったく無縁な観念の雲上での非実践的な解釈」ならびに「非弁証法的なスコラ的形式主義」という悪罵は、自分自身にむけるのがふさわしい。

総じて、わが御用学者がロッタ・コムニスタにこのような非難・罵倒・悪罵を投げつけるのは、自分たちの祖国防衛主義への転落があばきだされたことへの自己保身と、あばきだした者への憎しみに駆られているからなのであり、おのれ自身が全世界のプロレタリアートに不信を抱き、自分自身のうちに日本民族の血が流れていると見る以外に、自分の心の支えとするものがないことにもとづくのである。

八　自分がなく、中国とロシアの権力者に恨みつらみを言うことだけが〈反スタ〉

わが御用学者はロッタ・コムニスタにたいして「スターリニズムとの対決の欠如」と非難する。では、彼女の「反スターリニズム」とは一体どのようなものなのであろうか。

わが御用学者は言う。

「スターリン主義者の垂れ流しつづけてきたニセの「マルクス主義」があたかもマルクス主義であるかのように、いまなお全世界の労働者人民にみなされている。また、ネオ・スターリン主義中国は、共産党の専制支配下で「市場経済」を推進しつつ、その対外膨張主義をむきだしにしている。そして

FSB強権支配下のロシアは、失われたソ連邦の〝版図〟を奪い返すことに狂奔している。これらのゆえに、「社会主義」「共産主義」は全世界の人民から忌避されてしまっているのだ。」

この筆者は、自分がない。非主体的だ、客観主義だ、と言うのももったいない。この筆者には自分というものがないのである。

最初の一文。もしも「……いまなお全世界の労働者人民にみなされている」と確認するのであるならば、では自分自身はスターリン主義を、これはマルクス主義ではないというようにどのようにあばきだし、労働者たちに物質化してきたのか、ということをふりかえることが問題となるのである。しかし、そのようなふりかえりはまったく何もない。自分自身は、現代ソ連邦の崩壊以後、この新たな現実に立脚して、スターリン主義をその根底からのりこえるために理論的研鑽をどのように積み重ねてきたのだろうか。「ロシアは擬似資本主義だ」というようなことをただただ繰り返してきただけなのではないだろうか。「スターリン主義者の垂れ流してきた」などと言うのでは、スターリン主義者に責任転嫁しているだけではないだろうか。そのスターリン主義をわれわれはのりこえるのである。スターリン主義をのりこえる自分がまったくないのではないだろうか。

さらに、「中国は、……。ロシアは、……。これらのゆえに、「社会主義」「共産主義」は全世界の人民から忌避されてしまっているのだ」――こんなことを書いても、これが泣き言だとは思わないのだろうか。こんなのは、中国とロシアの国家権力者への恨みつらみだ、と感じないのだろうか。こんなことを書いて、恥ずかしくないのだろうか。

恥ずかしくないから書いているのであろう。

中央官僚とその御用学者は、中国の国家権力者に「ネオ・スターリン主義」というレッテルを張り、プーチンを「スターリン主義者の末裔」とみなして、こいつらが悪い、と言っていればそれでいいのである。これが〈反スタ〉のあかしなのである。

彼らは、自分たちが労働者を獲得することができないことを、相手の労働者のせいにして、プロレタリアートに不信を抱いてきた。彼らは、自分がプロレタリアであることをおのれの実存的支柱とするのではなく、自分のうちに日本列島に住まうヤポネシア人の永い永い歴史が畳みこまれていることにおのれの心のよりどころを求めてきた。

このような彼らは、全世界のプロレタリアートとプロレタリア階級闘争におのれの責任を感じることはない。そのような感性と意識は、彼らにはまったくない。

この彼らには、おのれの内面の空洞に棲まう民族を、理論的に基礎づけることだけが関心事なのである。

わが御用学者のこの論文にしめされたものは、これである。

二〇二三年一一月二九日

仮象について

一　「仮象実在」――笹大和巫女の一つ覚え

マルクスが『資本論』において「仮象」という概念をどのように使っているのかということについて、二か所発見することができた。第一巻第六編「労賃」第十九章「個数賃銀」の最初の部分と最後にでてくるものである。

最初のほう。

「時間賃銀が労働力の価値または価格の転化形態であるのと同様に、個数賃銀は時間賃銀の転化形態以外の何ものでもない。

個数賃銀にあっては、一見したところでは、労働者によって販売された使用価値は彼の労働力の機能たる生きた労働ではなく、すでに生産物に対象化された労働であるかに見え、そして、この労働の価格は時間賃銀の場合のように　労働力の日価値／与えられた時間数の労働日　という分数によってではなく、生産者の作業能力によって規定されるかに見える。
　この仮象を信ずる確信は、さしあたり、この労賃の両形態は同時に同じ事業部門でも並存するという事実によって、すでにひどく震撼されねばならぬであろう。」（青木書店版、長谷部文雄訳、八六一頁。――傍点は原文、以下同じ）

最後のほう。

「あるいはまた、労働者が、彼に支払われるのは彼の生産物であって彼の労働力ではないかの如き個数賃銀の仮象を本当だと思い、したがって、商品の販売価格の引下げが照応しないような賃銀引下げには反抗するからである。」（同、八七一頁）

これを読めば、わが御用学者・笹山登美子の言辞は巫女の一つ覚えである、ということがよくわかる。「民族や民族的対立は、非存在ではなく、仮象実在（シャイン）として存在しているのだ」という論述が、それである。

ドイツ語のシャイン（Schein）を「仮象実在」と訳すのだ、ということが、巫女の一つ覚えなのである。マルクスが右の展開において言うシャイン、それの訳語である日本語の「仮象」を「仮象実在」という語でもって置き換えることはできない。「この仮象実在を信ずる確信」と表現しても、「個数賃銀の仮象実在を本当だと思い」と表現しても、このように表現した者は、「個数賃銀」という概念を実在化している、ということがたちどころに明らかになるからである。すなわち、こう表現した者は、「個数賃銀」という概念を客観的な実在そのものとみなしているということになるからである。もっとも、スターリニストと同様な平板な頭になっている中央官僚とその御用学者は、そのようには感じないのかもしれないが。

それどころではない。

たとえ「仮象」という語を使ったとしても、「民族や民族的対立という・この仮象を信ずる確信」とか「民族や民族的対立の仮象を本当だと思い」とかというように論じたのでは、「民族」や「民族的対立」という・現実にかんする自分たちの把握を理論的に基礎づける、というわが御用学者の意図に反して、「民族」や「民族的対立」という把握は、仮象にとらわれた理論化であり、誤謬である、ということを、自称していることになるのである。なぜなら、このように表現するならば、この表現は、「民族」や「民族的対立」という把握は、信ずる確信であってはならないもの・本当だと思ってはならないものである、ということを意味するからである。もちろん、こう言ったからと言って、「民族」や「民族的対立」という把握は、仮象にとらわれた理論化である、というようには言えない。というのは、「民族は仮象である」とか「民族的対立は仮象である」とかとは言えないからであり、中央官僚がそのように把握するそれ独自のイデオロギー的および主体的根拠をえぐりださなければならないからである。

こんなことになってしまうのは、マルクスが「仮象」という概念を使うばあいには、「かに見える」とか「かの如き」とかという論述をうけてそうしているのだ、ということを、わが御用学者が論理的につかみとっていないことにもとづくのである。

このことは、水の入ったコップにお箸を突き刺したときに、われわれの目には、お箸が曲がっているかのように見える、ということを考えれば、よくわかる。光の屈折率が水と空気とで違うことにもとづいて、観察者であるわれわれの目にはそう見えるのである。われわれの網膜にそう映るのである。このことを物質的基礎として、われわれは、「お箸が曲がって見える」と意識するのである。こういう特殊な現象を仮象と呼ぶのである。これは、現象の一形態なのである。これは、錯覚とか幻影とかとは異なるである。右のことを、「水の入ったコップにお箸を突き刺すとお箸は曲がる」というように論じるならば、これは仮象にとらわれた理論化となるのである。

わが御用学者が、日本語の「仮象実在」という用語をふりまわし、これにしがみつくのは、概念と実在という哲学上の問題それ自体において、彼女は、物質的なものを規定する概念と、概念によって規定される物質的なものとを区別することができず、概念を実在化する誤謬におちいっていること、根本的には物質的現実を把握する自分がいないことにもとづくのである。

二　ヘーゲルの「あらわれ出る」の模倣——神の顕現の世界への逃避

わが御用学者・笹山登美子は次のように主張したのであった。

「民族は非存在ではない」。「民族的対立とは、論理的に言えば、階級分裂という本質的矛盾が・現実的な諸条件のもとで現れでているものであって、仮象実在（シャイン）として存在しているのだ。」と。

「現れでているもの」という表現はいかにもヘーゲル的である。これはヘーゲルの模倣である。というのは、ヘーゲルは『小論理学』において、「仮象」について次のように書いているからである。

「現存在の矛盾が定立されたものが現象である。現象を単なる仮象（Schein）と混同してはならない。

仮象は有あるいは直接態の最初の真理である。直接的なものは、われわれが思っているような独立的なもの、自己に依存しているものではなく、仮象にすぎない。かかるものとしてそれは、内在的な本質の単純性へ総括されている。本質は最初は自己内での反照の全体であるが、しかしそれはそうした内面性にとどまっていないで、根拠として現存在のうちへあらわれ出る。こうした現存在は、その根拠を自己のうちにではなく、他のもののうちに持つのであるから、まさに現象にほかならない。現象というとき、われわれは、その存在が全く媒介されたものにすぎず、したがって自分自身に依存せず、モメントとしての妥当性しか持っていないような、多くの多様な現存在する物を思いうかべる。しかしこの表象のうちには同時に、本質は現象の背後または彼方にとどまるのではなく、自己の反照を直接態のうちへ解放して、それに定有の喜びを与える無限の仁慈であることが含まれている。このようにして定立された現象は、自分の足で立っているものではなく、その有を自分自身のうちでなく、他のもののうちに持っている。神は、本質として、その自己のうちにおける反照の諸モメントに現存在を与えて世界を創造する仁慈であるとともに、世界を支配する力であり、世界が独立に現存在しようとするかぎり、その内容を単なる現象として示す正義である。」（ヘーゲル著、松村一人訳『小論理学下巻』岩波文庫、五六頁。――傍円は引用者）

わが御用学者は、ヘーゲルがここに言う「あらわれ出る」という論理を、「民族」や「民族的対立」の把握に適用したのである。本質は根拠として現存在のうちにあらわれ出るのであって、このような・現れでているものとしての現存在である民族や民族的対立は仮象実在として存在しているのだ、と。彼女は、ヘーゲルの本質の位置に階級分裂をおき、この本質が現存在のうちにあらわれ出る現実的な諸条件を「現実的な諸条件のもとで」という言葉で措定したのである。

もちろん、彼女は、ヘーゲルのこの本を横におきながら当該の文章を書いたのではないかもしれない。もしもそうであるならば、ヘーゲルの論理と言い回しがひとりでに現れでるほどまでに、彼女の頭はヘーゲル的になっているということになる。当該の展開は神秘的なのである。階級分裂という本質的矛盾が・どのような現実的な諸条件のもとで・どのようにして民族や民族的対立として現れでているのか、ということを、彼女は何ら明らかにしないからである。

しかも、この・現れでているものが仮象実在として存在する、というのは、まさにヘーゲル的である。唯物論の立場にたつならば、われわれは、実在するところのものを対象として分析することをとおして、この直接的なものを規定している根拠を本質としてつかみとるのであり、この本質的なものから直接的なものを捉えかえすのである。ところが、彼女は、本質が現実的な諸条件のもとで現れでているものが、仮象実在という実在として存在する、としているのである。これは、本質が現れでて実在をうみだし、このようなものとしての実在が現実世界として存在する、という論理なのである。ここでは、この本質は絶対理念のようなものになっているのである。彼女にとっては、階級分裂という本質的矛盾は、自己の観念世界のなかの理念のようなものとなっているのである。そして、彼女は、この理念が現実世界では民族や民族的対立として現れでる、とするのである。彼女の論述が神秘的である秘密はここにある。

ヘーゲルにあっては、実在するものが神であり、神が実在するのである。現実の世界はこの神の化身である。神は本質として自己の諸モメントに現存在を与え、現存在のうちにあらわれ出て、世界を創造するのである。これと同様に、わが御用学者にあっては、自己の頭のなかの理念が、現実世界に現れでて、民族や民族的対立という仮象実在を創造するのであり、これが存在なのである。

わが御用学者と彼女を笹大和巫女として神のお告げを聞く中央官僚にとっては、日本民族は、黒田寛一という神が現実世界に現れでているものなのであり、脈々として流れるヤポネシア人の血の現実態なのであって、おのれの心のよりどころなのである。それは、自己の内奥に棲みついているものなのであって、論証の対象ではないのである。ただ信じればいいのである。

私はこれまで、わが御用学者の問題を唯物主義というように論じてきたのであったが、いま見てきた意味においては、彼女はヘーゲル主義そのものなのである。

三　黒田寛一の「仮象」の説明を検討する必要がある

黒田寛一が書いた『革マル主義述語集』（こぶし書房、一九九八年刊）という本に「仮象」という項がある。「革マル派」中央官僚の御用学者・笹山登美子は、自分たちの民族主義を基礎づけるために、これを勉強して、「民族」や「民族的対立」は「仮象実在」だ、とする原稿を書いたのだと思われる。黒田の説明文には、「仮象」は「……存在のひとつのあり方である」、という論述があるのであるが、これを見ると、笹山が「仮象実在として存在しているのだ」という妻のかかあ的な表現をしたのもうなずけるのである。仮象実在というものを存在そのものとして捉えるのではなく、存在のあり方として捉えるならば、「仮象実在」のあとに「として存在しているのだ」とくっつけて表現することが可能になるからである。

黒田は、「それ〔仮象〕は、本質的なものが現象するさいにとる存在のひとつのあり方である」、と書いているのであるが、これは、われわれが物質的対象・すなわち・実在的なものを把握した内容の論述であり、物質的なもの＝実在的なものを仮象というように概念的に規定したところの・この仮象という概念にかんする存在論的展開である。このようなものである「仮象」という用語に「実在」という用語をくっつけて「仮象実在」という概念を創造することは可能なのであろうか。

私には、この根本的な疑問がわきおこってきた。

「仮象」にかんする黒田の説明の全文は次のようになっている。

「ドイツ語のScheinは日本語では「仮象」と訳される。けれども、それは、幻影のようなものでも、誤った感覚表象でもない。それは、本質的なものが現象するさいにとる存在のひとつのあり方である。この意味において、この述語は「仮象実在」とも訳されている。仮象の実在性がとらえられていさえするならば、わざわざ仮象実在と訳す必要はない。——例証をあげれば、水の入ったコップの中に細い棒をいれたばあい、この棒は光の作用で屈折して曲がったように見えるのであるが、このように見えることが現象のひとつとしての仮象なのである。

ヘーゲルの本質論においては、現象形態はExistenzまたはWirklichkeitである。そして、現象は本質の現れであり、本質は諸現象の本質である。仮象はひとつの現象形態である。

資本制経済のもとでは、直接的生産過程を措定する前提としての商品市場における、労働力商品の売り手とその買い手との関係は、等価交換の関係であり、「自由・平等」の関係である。けれども、たえざる生産過程の実現をつうじて、この「自由・平等」の関係が実はScheinにすぎない、ということが暴露される。――これが、『資本論』にみられるSchein というカテゴリーのマルクス的使い方の一典型である。」（六〇頁）

ここで、黒田は、「仮象実在」という表現それ自体は否定しないで肯定しているのである。そうすると、ここに言う「仮象実在」の「実在」とは何なのかということが問題となる。また、「仮象の実在性」と言われるときの「実在性」というのもそうである。

例証として挙げられている棒の話を考えるならば、これは、水に入れられた棒と光と人間の網膜という三者の関係において、網膜に現に・曲がった棒の像がつくられ、これを人間が「棒が曲がって見える」と意識するものである。これにたいして、「幻影のようなもの」というように「のようなもの」がつけられているのであるが幻影を考えるならば、それは、何らかのことがらを契機として人間の意識のなかに過去のいろいろな記憶などが入り混じって想起され何らかの像が形成されるものであり、また「誤った感覚表象」としては錯覚を考えるならば、それは、人間が感覚する対象と人間の脳の働き方との関係において、人間が対象を誤って意識するというものであって、幻影も錯覚も人間の心理的現象である。

前者の棒の話と後者の幻影や錯覚の話との違いは、現に網膜につくられている像を物質的基礎として人間が対象をどのように意識するのかという問題と、人間の意識作用において発生する心理現象の問題との違いなのであって、人間の意識に形成されたものが実在なのか否か、あるいはそれが実在性をもつのか否か、ということではないのである。人間の意識に形成されたものが実在なのか否かなどと言えば、人間の意識に形成されたのもの・すなわち・人間の意識内容を実在化していることになるのである。

唯物論の立場にたつのであるかぎり、「実在」というカテゴリーをもちだすのであるならば、概念と実在という問題を考察しなければならない。すなわち、物質的対象を規定する概念と、概念によって規定されるところの物質的なもの＝実在的なものとを区別しなければならない、ということが、それである。これは、黒田寛一その人がつとに強調していたことであった。だが、仮象についての説明の論述にはこのことが貫徹されていないのである。

このことは、哲学的概念としての仮象にかんする通俗的な説明とそのひっくりかえし方と関係するのではないだろうか。

インターネット上に載っている辞書を見ると、仮象について次のように書いてあった。

「実在的対象を反映しているように見えながら、対応すべき客観的実在性のない、単なる主観的な形象。仮の形。偽りの姿。」と。

「本質は現象する」という立場にたつヘーゲルの「仮象」はこのようなものではない。そこで右記の展開を直接的にひっくりかえすならば、仮象は実在性をもつのであり、仮象の実在性を捉えなければならない、仮象は本質のひとつの現象形態である、ということになるのである。私は、「仮象実在」という用語を誰がつくったのかは知らない。

これは、たとえヘーゲルの「仮象」の説明になりえたとしても、マルクスのそれにはなりえない。

黒田はヘーゲルを紹介しているのであるが、このヘーゲルをどのように唯物論的にひっくりかえすべきなのか、マルクスはどのようにひっくりかえしたのか、ということの展開はないのである。

ヘーゲルは、『大論理学』（武市健人訳『大論理学　中巻』岩波書店、一九六〇年刊）において次のように展開している。

「有は仮象である。」「仮象は、その空無性を離れては、云いかえると本質を離れては存在しない。仮象は否定的なものとして措定されているところの否定的なものである。」（一二頁）この仮象は、したがって本質は、次のように自己展開をとげる。「仮象は本質そのものである。但しそれは、単に本質の契機にすぎないような規定性の中にあるところの本質である。こうして本質は、自己の自己自身の中における映現である。」（一六頁）「しかも本質は、この仮象をむしろ自己における無限の運動として自己自身の中に含んでいる」（一七頁）。

このような展開は、主観的観念論の立場にたつカントの「仮象」をひっくりかえしたものである。カントは、人間は物自体を認識することはできない、としたのである。これは、人間にあたえられる現象は、すでに人間の主観と物自体とによって構成されたものなのであり、両者を切り離すことはできない、としたことにもとづくのである。この物自体とは神である。したがって、神が世界を創造した、というのは、認識しえないことであるのだからして、それは仮象である、としたのである。このカントの「仮象」を、ヘーゲルは、絶対理念の直接態をなす有は自己展開して、本質の否定的な直接性をなす仮象をうみだしたのだ、というようにひっくりかえしたのである。このばあいに、ヘーゲルにあっては、この絶対理念とは神であり、絶対理念の直接態をなす有の存在過程は、同時にそれの自覚過程なのである。このような絶対理念たる神が実在なのである。したがって、ヘーゲルにあっては、仮象は実在なのであり、実在性をもつのである。

マルクスは、唯物論の立場にたって、このヘーゲルの「仮象」をその根底からひっくりかえしたのである。したがって、マルクスの実践的唯物論をわがものとするために努力するわれわれは、マルクスの「Schein」の訳語として「仮象実在」という用語を使うことはできないのである。

ヘーゲルをもちだすのであるかぎり、あるいは「実在」というカテゴリーをもちだすのであるかぎり、こういうことを明らかにすることが必要である。ところが、黒田はこういう考察をおこなっていないのである。

わが御用学者にもどろう。

観念論においては、実在とは観念であり、神である。わが笹大和巫女たる笹山登美子が「仮象実在」というかたちで「実在」を強調したとしても、それでは唯物論の立場にたったことには決してならないのである。「本質が現れでているものが、仮象実在として存在しているのだ」と言うのでは、その実在は、実践＝認識主体たるわれわれのいない世界で自存しているものなのであり、それは観念であり神なのである。わが巫女は、自分が観念世界で希求したところのものをその観念のなかで現れださせて、「民族」だの「民族的対立」だのという観念的被造物を創造したにすぎないのである。

四　マルクス『資本論』「商品の物神的性格」のなかの「仮象」――わが仲間から

わが仲間から、マルクスの「仮象」についての提起があった。それをここに掲載する。

『資本論』を読み返してみると、やはり第一章第四節の「商品の物神的性格」の中でマルクスは「仮象」の言葉を使っていました。

ここの叙述の一番の核心部分、「だから、人々が彼等の労働諸生産物を諸価値として相互に連関させるのは、これらの物象が彼等にとって同等な種類の・人間的な・労働の単なる物象的な外皮として意義をもつからではない。その逆である。彼等は、彼等の相異なる種類の諸生産物を交換において諸価値として相互に等置することにより、彼等の相異なる諸労働を人間的労働として相互に等置する。」から始まる段落です。

「労働諸生産物は、それらが価値であるかぎりでは、それらの生産に支出された人間的労働の単に物象的な諸表現である、という後代の科学的発見は、人類の発展史において時代を画するものではあるが、しかし決して、労働の社会的性格の対象的仮象をおい払いはしない。」（長谷部文雄訳『資本論　第一部』青木書店、一七五頁）

ドイツ語原文（一八七二年の第二版）は以下の通り。

Die sp?te wissenschaftliche Entdeckung, da? die Arbeitsprodukte, so weit sie Werte, blo? sachliche Au
sdru?cke der in ihrer Produktion verausgabten menschlichen Arbeit sind, macht Epoche in der Entwic
klungsgeschichte der Menschheit, aber verscheucht keineswegs den gegenst?ndlichen Schein der gesel
lschaftlichen Charaktere der Arbeit.

つまり、商品経済の中では人々が相互に何の連絡もなく独立して労働を行っているのだけれども、この私的労働の生み出した労働生産物が商品として互いに交換されることによって、この商品を生産した労働がもともと社会的な性格を有していたかのように見える、ということだと思います。マルクスはこの段落末尾で、「商品生産の諸関係にとらわれた人々にとっては」事態はそのように「あらわれる」(erscheinen)と言っていて、仮象とその基礎としての物質的諸関係を区別できずに「仮象実在」などと言う笹大和巫女がいかに「とらわれ」ているのかを考えさせられます。

二〇二三年一二月九日

II　われわれの巨歩と拠点

反スターリン主義運動を再創造する闘いの巨歩をふみだす——二〇二一年一月一日

われわれは、変質し腐敗した「革マル派」現指導部を打倒し、反スターリン主義運動を再創造する闘いの巨歩をふみだした。

われわれは、日本のプロレタリア階級闘争の今日的危機をのりこえていくためにイデオロギー的および組織的にたたかいぬいてきた。

新型コロナウイルス感染症の蔓延とこれへの政府および独占ブルジョアジーの対応に規定されて・仕事を奪われ解雇された労働者や勤労者たちの闘いの指針をわれわれは提起するとともに、それぞれが所属する労働組合の一員として、また労働組合のない職場で、果敢にたたかってきた。

現代帝国主義と中露の国家資本主義による地球環境の破壊に危機意識をもち、これに抗する闘いをマルクスの諸文献によって基礎づけることを主観的には意図しながらも、「マルクス再評価」の名のもとにマルクス主義をエコロジー的に歪曲する傾向（斎藤幸平ら）をあばきだすためのイデオロギー闘争を、われわれは創意的に展開してきた。

また、「連合」指導部や旧総評指導部の流れをくむ組合主義者たちが、労働組合員の減少という危機をのりきるために、野党を尻押しし、与党と一緒になって、「労働者協同組合法」を制定したことを、われわれは的確にあばきだし、これをのりこえていく方向性をしめしてきた。

日本のプロレタリア階級闘争を下からつくりかえていくためのこのような闘いを基礎としつつ、「革マル派」現指導部が、その組織の危機を――すなわち組織諸成員が老齢化し惰性態と化していたり不満をいだきながら指導部につき従っていたりするという危機的状況を――のりきるために黒田寛一の神格化を策していることをわれわれはあばきだし、下部の組織成員たちにこのような指導部から決別することをうながしてきた。

この闘いにかんしてわれわれが教訓とすべきなのは、指導部に不満や反発を抱いてきたおのれを肯定するのであってはそのメンバーは反スターリン主義運動を再創造するための闘いの組織的担い手とはなりえない、ということである。

指導部の誤謬を批判した組織成員が指導的メンバーたちによってつるし上げを食らい潰されるのを眼前にしたり自分もそのような目にあったりしたことがあるばあいには、そのメンバーは、指導部に「これは官僚主義である」という否定感をもつのを常とする。われわれの呼びかけに「革マル派」組織の内部から応えたメンバーが、自分はこのような否定感を抱いているということをもって自己を肯定したままでいる、すなわち、わが探究派をこのような否定感を晴らしてくれる組織だとみる、というのではまずいのである。おのれはそのような否定感をもちながらもその指導部にいまの今までつき従ってきたのである。このおのれを否定しこのおのれから脱却することが必要なのである。指導部に否定感を抱きながらもこの指導部とたたかいえなかったのはなぜなのか、というように、このおのれ自身を組織論的に反省することが肝要なのである。

わが探究派の内部思想闘争を真に主体的組織的に実現する組織成員としておのれをつくりだすためには、この自己否定を、この断絶と飛躍をかちとるのでなければならない。われわれは、このことを肝に銘じているのである。

この自己否定を実現しえたメンバーこそが、共産主義者としてのパトスと生命力に満ちあふれて、「もはや腐臭しかしない「革マル派」指導部を打倒し反スターリン主義運動の再創造のために断固たたかおうと思う」と決意しうるのであり、決意しえたのである。

「革マル派」の下部組織成員諸君！

この決意をかちとろう！

二〇二一年一月一日

「死んで生きる」について

われわれが、おのれの自己変革の決意を、すなわちこの私が〈いま・ここ〉で自己を否定し断絶と飛躍をかちとるという決意を、あらわすものとして使ってきた言葉であるところの「死んで生きる」が田辺元の「死んで生きる」に由来する、ということを、藤川一久論文を読んで、私ははじめて知った。私はあまりにも不勉強であった。このことを、私はいま自覚しおのれを恥じる。

田辺元のそれは文字通りの意味であった。それは、「人間は死に於いて生きる」と表現されていた。

私の把握は次のようなところで停止していた。

昔、内部思想闘争において「死ね!」「死ね!」「おのれを組織にあずけろ!」と盛んに叫ぶ人がいた。誰も言葉をはさむ人がいなかったことから、私は、反省と自己変革をうながすためにはそうするものか、とおもっていた。しかし、どういうことだか、よくわからなかった。

或るとき、私は同志黒田寛一に「「死ね!」「死ね!」とよく言われるんですが、自己変革とは、そのようにしたら自分がどうなるかわからないけれども絶壁から飛び降りる、つまりどうなるかは組織にあずけて自己を否定すると決断する、ということですか」と聞いた。

彼は「いや、どうなるかはわかってるんだ」と答えた。

私は、エッとおもった。

そうすると、『資本論』によって資本主義の没落の必然性が明らかにされたからと言ってただちにプロレタリアが起ちあがるわけではない、プロレタリアたるわれわれはおのれをプロレタリアとして自覚し・おのれの歴史的使命を実現すると決断しなければならない、この主体的自覚の構造を明らかにするのが自覚の論理である、ということとそれは同じことではないか、と私はおもったのである。すなわち、「死ね！」「死ね！」と言うまえに、相手の同志がおかした誤謬のどこがどのようにおかしいのかを論議し、その内容を相手の同志がつかまなければ駄目ではないか、という感を私はもった、ということである。なあーんだ、あたりまえのことじゃないか、と私は感じたのであった。

「死んで生きる」については、私の頭はここで止まっていた。

黒田寛一の場所の哲学の源泉をたどりそこから捉えかえすならば、西田幾多郎の絶対無の哲学＝観念論的な場所の哲学が、梅本克己および梯明秀をとおして黒田寛一に流れこんだといえる、と私は考えてきており、何年かまえにその跡づけの考察もやった。しかし、田辺元を、日本民族という意味での特殊性の契機をおしだし「大東亜戦争」を基礎づけた哲学者として軽視してきた、と私は自覚したのである。

「人間は死に於いて生きる」という田辺元の思索は、青年にうえつける特攻精神を哲学的に基礎づけるものであった。それは、個たる自分は死んで・天皇制国家に体現される人類の永遠的なもの＝悠久の歴史として生きる、というものである。これは死復活の思想であり、おのれの死を永遠なるものから存在論的に基礎づけることを意図するものである。

このように考えるならば、「人間は自己の体験しえぬ未来の人間の幸福のためにいかにして自己の生命をささげうるか」という梅本克己の問いは、田辺元のこの思索を唯物論的に転倒することをめざしたものである、と捉えかえすことができる。

私は、黒田寛一の変革的実践の哲学＝場所の哲学にうけつがれ彼のうちに生きているものとして、「被限定を能限定に変ずる変革的実践の決意成立の場面」を明らかにしなければならない、という梅本克己の言葉をうけとめ感動し、これを西田幾多郎の「絶対無の場所」を唯物論的に転倒することを意志したものとして考察してきたのであった。

先の梅本の問いにかんしては、われわれは苦しめられているのであり、われわれはこの現実とおのれ自身に耐えがたいがゆえに、われわれは自己を変革し・われわれを苦しめているところのものをその根底から変革するためにたたかうのである、私の生死はここに決する、私の内面的発条は未来にではなくここにある、と私は感じたのであった。

梅本のその問いそのものを私は深く考察してこなかった、といま私は感じる。

さらに、梯明秀にかんしても、いま新たな思いがわきおこってくる。

梯明秀は、西田幾多郎の場所の哲学を唯物論的に転倒するためにマルクスの全自然史の哲学を基礎としこれをみずからの絶対有の哲学として、絶対有としての主体的物質の自己運動のうちに西田の「絶対無の場所」を位置づけた、しかしこのことが、梯その人をして、過程的弁証法のうちに場所的契機を探し求める、と述懐せしめるものとなった。黒田寛一は、この梯哲学をまさに場所的弁証法＝変革的実践の哲学そのものとして唯物論的に改作したのだ、と私はうけとめ捉えてきた。

だが、これに尽きるのではない、という思いがする。マルクスの全自然史の哲学を基礎としこれをみずからの絶対有の哲学とするときには、梯の内面にうずいているものがある。それは、田辺元の、個の死を永遠なるものの悠久の歴史に生きるものとして存在論的に基礎づける思索を、個の主体性を・主体性原理をもった物質の自己運動として存在論的に基礎づける、というかたちで唯物論的に転倒するのだ、という内面的衝動と学問的意志である。このようにおもえる。

もちろん、西田幾多郎もまた、絶対無の場所をその根底にある弁証法的一般者の顕現として・「永遠の今」として・存在論的に基礎づける、というように思索している。しかし、西田のばあいには、あくまでも、禅をくんでいるおのれの意識の直接性としての純粋経験を絶対無の場所と規定し、これを学問的に明らかにすることに眼目があったといわなければならない。

梯は、この西田の哲学と田辺の哲学とを統一するかたちで唯物論的に転倒することをめざしたのだ、と私はいま思うのである。人間は死に於いて永遠なるものとして生きるのだ、という田辺の思索は、主体的たらんとしておのれの主体性の根源を求める梯明秀にとって魅力的であったのではないか、という気がするのである。この存在論的な学問的思索に没頭したあまりに、彼の理論的展開は、彼自身が、過程的弁証法のうちに場所的契機を探し求める、とのべるものとなったのではないか、と私はおもうのである。

黒田寛一は、マルクスの実践的唯物論を基礎としおのれの背骨として、梅本克己の追求を問題提起としてうけとめるとともに、梯明秀の論述を裏返しのヘーゲル主義におちいっているとつきだし、これを唯物論的に改作して、人間の自覚の論理を、すなわち唯物論的主体性論を明らかにしたのだ、と私は捉える。

黒田の生涯をつらぬくその哲学的思索は、実践そのものの唯物論的＝主体的解明と、人間の主体性の・

物質からの存在論的基礎づけとの二契機をもつ、と私は考えてきたし、いまもそう考える。前者は、マルクスの唯物論的実践論をわがものとし基礎として、主体的たらんとする梅本や梯の内面的発条をうけついで、われわれの実践そのものを唯物論的に主体的に解明するものである。これにたいして、後者は、われわれの主体性を、唯物論の原理としての物質から存在論的に基礎づけ、実践の場所の哲学として開示するものである。ここまでは私は従来から考えてきたのであったが、いま新たに、この後者には、梅本および梯の思索をとおして、西田幾多郎というよりもむしろ田辺元の哲学的追求が主要に流れこんでいる、と私はおもうのである。

だがしかし、というべきか、このゆえに、というべきか、われわれのおいてある行為的現在の物質的世界たるこの場所、この場所の根底にある物質から、場所においてあるこのわれわれの主体性を説きおこそうとするかぎり、どうしても、この物質は実体化されてしまうのではないか、と私はおもうのである。われわれの主体性を物質そのものの自覚として存在論的に論述するためには、われわれがわれわれのおいてあるこの場所を下向的に分析することをとおして・この場所をその根底から規定しているところのものを物質としてつかみとり、われわれ人間主体もわれわれの感性的対象をなす外的自然もともに物質であると概念的に把握する、というように認識論的に論じるにとどまることなく、われわれとこの場所に先立つものとして・すなわちこれを超越するものとして、原理としての物質を――根源的な物質として（『ヘーゲルとマルクス』）であるか、われわれがいまだ認識していない無規定的なものを根源的なものとする（『実践と場所』）かして――直接的に設定せざるをえなくなるからである。われわれとわれわれの感性的対象とからなるこの場所、この場所の根底に・この場所に先立つもの＝超越するものが実存するとしないことには、場所の存在論を理論として展開することができないからである。この場所に・この場所に先立つもの＝超越するものがある＝実存する、としてしまえば、この先立つもの＝超越するものとしての物質は実体化されてしまうことになるのである。

このことについての『実践と場所』の論述に即した展開は、『変革の意志』を見てほしい。

私がいまここで言いたいことは、実践の場所の存在論の源泉を探るならば、それは、田辺元の「死んで生きる」の存在論にいきつくのではないか、ということである。

そして、田辺元の「死んで生きる」のこの存在論＝田辺哲学を唯物論的に転倒することは不可能である、と私は考えるのである。

われわれが、実践するわれわれの内面を言いあらわすためには、「死んで生きる」ではなく、「いまを生きる」でいい、また、この私の・自己変革の意志を表現するためには、「死んで生きる」ではなく、「自己を否定する」「自己否定の立場にたつ」でいい、いや、そうすべきである、と私はおもうのである。

黒田寛一に生きる田辺哲学について気づいたいまも、このことに気づく以前にも、われわれがわがものとしうけつぐべきわが黒田寛一の哲学的探究は、実践の場所の存在論にあるのではなく、実践の哲学＝場所の哲学＝変革の哲学にある、すなわちわれわれの実践そのものの主体的＝唯物論的解明にある、これを解明するという彼のあくなき意志にある、と私は考えるのである。

二〇二一年一月一日

III　死の病

〔1〕「解放」がおもしろくないのはなぜなのか？

「革マル派」の機関紙「解放」の記事はおもしろくない。これはなぜなのか。四・五面記事を書いている指導的メンバーや一面記事を書いているそれなりに指導的なメンバーは、ブル新（ブルジョア新聞＝商業新聞）記事にでてくる「事実」（記者の頭によって濾過された事実）を寄せ集めてまとめ、それにちょっとコショウをふりかけているだけなのだ。おもしろくないのは、このことにもとづくのだ。

自分の判断がないのである。わが組織はこう判断すべきである、と私は判断する、というのがないのである。自分がないのである。

たとえ、「バイデンが脱炭素化・再生可能エネルギーへの巨額投資をおしすすめようとしているのは、中国やEU諸国があいついで「カーボン・ニュートラル」を掲げて新産業分野での国際市場のシェアを拡大しつつあることに焦りを募らせているからなのだ。」というようなことを書いたとしても、いろんな事象をあげつらっているだけである。

バイデン政権のこの政策は、トランプ政権の政策から転換したものである（とわが革マル派組織は判断する）、という展開さえもがないのである。革マル派組織としての判断を、筆者が組織成員として責任をもって提示する、というのがないのである。この部分の見出しは、「独占資本救済のための「クリーン・エネルギー革命」」である。「独占資本救済のための」というようなことは、トランプの政策にかんして言ってきたことである。常套文句である。彼ら指導的メンバーたちは、常套文句をくりかえすこと以上に、自分の判断をくだすことができないのである。組織としてこう判断すべきだ、ということを、組織成員としての自分の判断として明らかにすることができないのである。

こういうことになるのは、「組織は私・私は組織」「他利即自利・自利即他利」というようなことをただただ呪文のごとく唱えさせ・かつ・唱えさせられて、自己を組織のなかに埋没させてきたからなのである。マルクスがアジア的生産様式の古代専制国家の諸個人にかんして規定したところの「共同体の偶有的属性」といったものに、「革マル派」の諸成員は転落しているからなのである。

「革マル派」の下部組織成員諸君！

このようなおのれから脱却しよう！

二〇二一年二月四日

〔2〕　森喜朗の傲慢

森喜朗会長がオリンピック委員会の会合で、「女性がたくさん入っている理事会は時間がかかる。女性は競争意識が強い。一人が手を挙げると自分も言わなきゃと思う。」としゃべったという。

これについて森は撤回したが、その記者会見は、謝罪でも反省でもなく開き直りであり、自己の傲慢さをさらけだしただけであった。

猫に小判であるが、あえて言えば、このことが、女性にかんする現実の認識として正しいのかどうかということを省みて検討しなければ反省にならないのである。反省のない・言葉だけの謝罪は開き直りである。しかも、森は公然たる開き直りもやった。

批判する側も、たとえ、この発言が女性を蔑視し差別するものだ、と言ったとしても、この発言の内容が現実の認識として正しいのかどうかを検討しなければ、批判にならない。現実の認識として間違っているのなら、そんなことはない、と言わなければならない。もしも、森が言うようなことが多々あるのだとすれば、そういうことはあるけれどもそれでいいではないか、競って発言してどこが悪い、と批判しなければならない。

この発言は、ラグビー協会での経験を紹介してのものだったという。これが重要である。

ラグビー協会の理事だったという女性が、テレビでしゃべっていた。それは次のようなものであった。

森さんの言うのは私のことだと思います。ラグビー協会で森さんとダブっていた女性は私しかいませんから。そのときは、女性は私一人だったんです。私はいろいろわからないことがあっていろいろ質問していたんです。それで会議は長くなっていたともいますよ。それは私のことなんです、と。

どうもこれが事実だとおもわれる。

森は、この女性がいろいろ質問して会議が長くなるので、この女性に頭にきていたとおもわれるのである。ここからするならば、彼は、自己を省みることなく自己を肯定し、この女性のことを悪者にして、この女性のことを女性一般に一般化し、競争意識が強い、という女性の傾向なるものをでっちあげた、ということになるのである。

森は、この女性のテレビでの発言を鏡として、そのときの自己を思い起こし、自己の発言を省みなければならないのである。

オリンピック委員会の理事たちは、こういうことを森に問い、論議しなければならないのである。こういうことを言っても猫に小判である。今日のブルジョア支配秩序のもとでは、いや、ブルジョア民主主義のもとでは、こういう論議と自己反省は無理である。

こういうことをなしうるようにするためにはプロレタリア民主主義を実現しなければならない。

私は、「革マル派」の下部の組織成員の諸君に自覚をうながしたいために、これを書いたのである。

二〇二一年二月六日

〔3〕 菅政権へのお願い――「解放」最新号もくだらない

「革マル派」現指導部は、「解放」最新号もまた、闘争報告でお茶を濁した。

その内容がひどい。

スローガンは、「貧窮人民を見殺しにする菅政権打倒」である。これでは、苦悶し苦闘する労働者たち・勤労者たちをその外側から眺めて「貧窮人民」とみなし、彼らを見殺しにするのではなく助けてやってくれ、と菅政権にお願いする、というものでしかないではないか。現代社会の変革の主体たる労働者たち・勤労者たちを主体として闘いを創造するために、彼らをいかにして階級的に組織化するのか、という立場と理論的追求が欠如しているのである。

「棄民政策を進める菅政権」という分析。現実を分析する彼ら現指導部の価値意識がおかしいのである。彼らの価値意識は、プロレタリア階級の階級的な価値意識ではない。彼らをつきうごかしているのは、空想的社会主義者＝ユートピア主義者の人民救済主義的なものでしかないのである。彼らは、プロレタリアの外側に居るのである。

菅政権は、何も民（たみ）を棄てることを目的にしているのではない。支配階級たる独占資本家どもとその利害を体現する国家権力者は、搾取材料たるプロレタリアを棄てることはない。こんなことは、賃労働と資本との矛盾的自己同一ということを考えれば、明らかではないか。菅政権は、新型コロナウイルスの蔓延とこれにもとづく経済危機をのりきるために、日本独占ブルジョアジーの利害をよりいっそう露骨に貫徹することを、すなわち労働者たち・勤労者たちをよりいっそう搾取し収奪することを狙っているのである。支配者どもは、脱炭素産業革命での日本の立ち後れを挽回するために必死になっているのであり、これに国家資金と資本を投下しているのであって、コロナ対策へのカネのつぎこみは、労働者たち・勤労者たちを欺瞞し懐柔できる程度にする、ということなのである。

だから、このような階級的な攻撃をはねかえすために、労働者たち・勤労者たちを階級的に組織することが問題なのであって、民（たみ）を棄てないでくれ、と菅政権にお願いすることが問題なのではない。
こんなことを言うのは、お願いすれば助けてくれるかのように、菅政権への幻想をあおるものなのである。

二〇二一年二月一二日

〈4〉「菅政権へのお願い……」への糸色望さんのコメントを読んでください

次のように書いて関連文書がコピペされている。

「解放紙上のあらゆる文章で「ポスト・コロナ」という言葉が乱発されていますが、彼らの頭の中ではコロナ⇳人類（ブルジョアジー⇳プロレタリアート）とでも言うべき図式が出来上がっているのでしょうか？

かつて私が指摘した様な北京官僚による特定人種をターゲットにした生物兵器である可能性も、あるいは本来人間が入ってはいけない地域を乱開発したことによるコロナを媒介した生物との接触という事も彼らの関心の埒外である。……」

「革マル派」現指導部の頭のなかではそのような図式ができあっているのは、そうであろう。と同時に、「ポスト・コロナ」という未来を想定しないことには彼らの頭はまわらない、ということでもあると思われる。

大きくいって、欧米人とアジア人とではコロナの感染度合いと死亡率が異なる、というのはそうであろう。この根拠は何であるのかをほりさげなければならない。北京官僚による特定人種をターゲットにした生物兵器である可能性はある。しかし、人種の異なる人間の遺伝子とコロナウイルスの遺伝子との相関を調べて・その相関に適合するように後者の遺伝子を変異させる、という技術性を北京官僚がもっている、と判断することには、私は疑問がある。とはいってももちろん、中国にしろアメリカにしろ、生物兵器を開発するという目的意識をもって・コウモリに由来するとされるコロナウイルスを研究しているわけである。これの開発途上において・その途上のコロナウイルスが、中国かアメリカかのいずれかから漏れ出た可能性は大いにありうる。

欧米人とアジア人とでの違いにかんしては、アフリカを出たホモサピエンスが東西に分かれて移動していった以降に、東に向かいモンゴロイドとなった人間たちが現在の新型コロナウイルスに似たウイルスに感染して、これに抵抗力を発揮する遺伝子をもった人間たちが多く生き残った、という可能性がある。

このような特性をもつウイルスが漏れ出た、という可能性があるわけである。

あるいはまた、国家独占資本主義あるいは国家資本主義のもとで森林を破壊し乱開発した階級的人間が、さらに変異していたコロナウイルスを現存社会のうちに招き入れた、という可能性があるわけである。

このようなことを分析しなければならない、と私は考える。

二〇二一年二月一三日

〔5〕　メタモルフォーゼ問題にみられる同志黒田寛一の組織づくり上の欠陥をえぐる

メタモルフォーゼ問題にかんするわが探究派の見解を、探究派公式ブログに一挙掲載した。ここにおいて、唯圓氏のこの問題へのアプローチは、組織論的ほりさげが欠如しているものであることをも明らかにした。

みなさん、読んでください。

同志黒田寛一を神格化するという、「革マル派」現指導部の腐敗がうみだされたのはなぜなのか。いや、現指導部を担っているメンバーたちがおしなべて組織的主体性のないメンバーとして育てあげられてしまったのはなぜなのか。

この根拠をえぐりだしていくためには、同志黒田寛一が革マル派組織をどのように創造し建設してきたのか、ここに欠陥はなかったのか、ということにまでほりさげていかなければならない。この問題の追求を避けてとおることはできない。この根拠をえぐりだし、自己を省察し、このおのれ自身を否定しのりこえていくことが、われわれの課題をなすのである。

メタモルフォーゼとは、昆虫が幼虫―蛹―成虫というように姿態変換（変態）することをさすのであって、質料転換＝質料変換＝物質代謝＝新陳代謝という訳語の原語をメタモルフォーゼとするのは誤りである、ということが同志たちから指摘され、そのことを自覚したにもかかわらず、同志黒田寛一は、そのことを組織的に普遍化しなかったのはなぜなのか。第一の指摘者には、返答もしなかったのはなぜなのか。ここにはどのような問題がはらまれているのか。

同志黒田寛一の内面的なものをおしはかり考察すると同時に、このことのもつ組織的意味を組織論的にえぐりだしていくのでなければならない。

このような前衛党組織建設論的な追求がどうしても必要なのである。

みなさん、この論稿に対決し、自己省察してください。

二〇二一年二月一七日

〔6〕 宇宙人との戦争？

「革マル派」の代表は集会で次のように叫んだのだ、という（「解放」最新号）。

「資本主義の非人間性の真の秘密を知っているのは、階級的に目覚めているわれわれ以外にない。資本主義をこの地上から一掃し、その廃墟のうえにいかなる社会を建設すべきかという歴史的自覚をもって闘いを挑みつづけているのがわれわれなのだ」、と。

何か、地球に侵入してきた非人間的な宇宙人と戦争した廃墟のうえにいかなる社会を建設すべきか、という物語を描いているようだ。漫画の見過ぎではないだろうか。あるいは、大和国家創成の神話なのだろうか。

かつて、たとえ核戦争が起こっても滅びるのは帝国主義であってその廃墟のなかから社会主義を建設すればいい、と語ったのは、反米総路線をとる北京官僚であった。このスターリン主義官僚の口真似をしているのであろうか。

彼ら「革マル派」現指導部は、資本主義を一定の勢力およびその建設物というように実体化し、それを一掃すれば地球は廃墟となる、というように想定しているのである。彼らには、賃労働と資本との矛盾的自己同一という捉え方が欠如しているのである。だから、プロレタリアがみずからを階級的に自覚し階級として自己を組織化する、という自覚の論理はでてきようがないのである。建設すべき社会という未来像をあらかじめ想定し、それを知っているのがわれわれなのだ、と威張り虚勢をはって見せるのが、彼らの関の山なのである。

二〇二一年二月二五日

〈7〉「異常な株高」とただ驚くばかり

「革マル派」現指導部は、経済の現状にかんして、「異常な株高」とただ驚くばかりである。

彼らは言う。

「世界各地で労働者・人民が生活苦と失業と感染の危機にたたきこまれているいま、異常な株高が惹きおこされている。ブルジョアどもは莫大な富を独り占めし、人民はかつてない窮乏化にたたきこまれている。〈貧富の差〉はパンデミック下で急速に拡大し、その根底にある〈階級分裂〉が剥きだしになっている。」(「解放」最新号)

彼らは、現下の株価の上昇を、「異常な株高」として、ブルジョアどもが「莫大な富を独り占め」しているものとして驚愕しているのである。

彼らには、株式やその他の金融商品と、人びとにとって生活手段や生産手段となる・商品体の形態をとった富との区別もない。前者は、本質論的には、マルクスが「仮空資本」(「擬制資本」)と規定したところのものであり、今日の管理通貨制を基礎とする国家独占資本主義のもとでのそれは独自の経済的意味をもつ。

だが、こんな経済学的な話は、彼らには、猫に小判である。

問題は、現下の株価の上昇をどのように分析するのか、ということである。

彼らには、新型コロナウイルスの感染の拡大とこれを阻止するために政府がとった措置によって引き起こされた経済危機、この経済危機が金融危機として現出するのをくいとめるために政府および日本銀行が、株式市場をふくむ金融市場と諸企業そのものに、膨大な国家資金を注入したのだ、ということのもつ経済的意味の把握がない。彼らは、こういうことを「棄民政策」というように解釈主義的に意味付与するだけなのである。

注入された国家資金をみずからのもとに集中した金融業の諸独占体やもろもろの産業の諸独占体が、金融的利益をもとめて株式の投機的売買に走ったのだから、株価が高騰するのは当たり前のことなのである。この国家資金の注入によってのみ資本制的諸企業は、あたかも生き延びているかのような様相を呈しているのである。このゆえに、われわれは、今日の国家独占資本主義および中露の国家資本主義を、ゾンビ資本主義というように命名したのである。

政府がばらまいた財政資金については、赤字国債を日銀が市場で無制限に買い入れるというかたちで支えた。日銀は同時に、ＥＴＦ（上場投資信託）を株式市場で購入するという方法を使って、直接的にも株価をつり上げたのである。

彼ら「革マル派」現指導部は、こういうことを分析することとは無縁なのである。

彼らは、〈貧富の差〉とか〈階級分裂〉とかという言葉を使うことによって、自己の存在意味を自己満足的に自己確証しているだけなのである。

二〇二一年二月二六日

〔8〕「莫大な富を独り占め」という怒りの質の俗人性

「革マル派」現指導部は次のように言う。

「ブルジョアどもは莫大な富を独り占めし、人民はかつてない窮乏化にたたきこまれている。」（「解放」最新号）と。

ブルジョアどもが富を独り占めしているのが悪い、というわけだ。みんなでいっしょになって莫大な富を生産したのに、これをみんなで分けないで、ブルジョアどもが独り占めしている、ズルイ、ズルイ、と彼ら現指導部は怒っているのである。

こういう怒りをあらわにしても、自分が俗人に転落していると気づかないほどまでに、彼らは俗人に成り果てているのである。

こんなふうに書けば、自分自身が社会民主主義者と同じ・労働の成果の分け前論に転落していることになる、ヤバイ、ヤバイ、と気がつくことがないほどまでに、彼らはマルクス主義から遠く離れてしまっているのである。彼らは、ブルジョア的平等主義者として自己をおしだすまでに、変質しているのである。

資本たる死んだ労働は労働者の生き血を吸って自己増殖する、という・マルクスの『資本論』の真髄とは、彼らは無縁なのである。

二〇二一年二月二七日

〔9〕幼くてつまらない文体

「革マル派」現指導部のメンバーの文体は、幼くてつまらない。このことは、「解放」最新号（第二六五八号二〇二一年三月八日付）トップ論文に端的に見てとれる。

「バイデンは、習近平にたいして、……」「このバイデンの非難にたいして習近平は、……」というように、両者のそれぞれを主語とする文が交互に並んでいるだけ。両権力者がやり合っている、ということをしめしたいのだろうが、ただそれだけ。分析も何もない。

二〇二一年三月五日

〈10〉「人民」の外側から菅政権にお願い

「革マル派」現指導部がうちだしたスローガンはまたもや「貧窮人民見殺しの菅政権を労学の実力で打倒せよ！」だ（「解放」第二六六〇号二〇二一年三月二二日）。

これは、自分自身は労働者・人民の外側にたち、労働者・人民を「貧窮人民」というように救済の対象とみなしたうえで、「貧窮人民」を見殺しにせず助けてやってくれ、と国家権力者・菅にお願いするものである。国家権力者・菅は、みずからの階級的基礎をなす独占資本家どもを救済するために労働者・人民を犠牲にしているのである。こんなヤツに、見殺しにしないでくれ、と言ってもはじまらないのである。そんな言は、現存政府が労働者・人民を助けてくれることがありうるかのように幻想をまきちらすものなのであり、労働者・人民を武装解除するものなのである。

下部組織成員諸君！
このような現指導部を打倒しよう！

二〇二一年三月一八日

〈11〉「革マル派」現指導部の組織建設・内部思想闘争の今日的腐敗をあばく

同志黒田寛一の『実践と場所』における三〇万年前の古モンゴロイドを想定した展開が誤りであることを指摘した投書がこぶし書房に寄せられたことにたいして、いまは神官となっている「革マル派」の指導的メンバーは、匿名で、あらぬ屁理屈をこね回してこの投書を非難した。これは、同志黒田および自分たちへの批判は一切許さない、という態度をしめしたものであった。

このことを切り口として、「革マル派」現指導部の組織建設・内部思想闘争の今日的腐敗を組織建設論的にあばきだした松代秀樹論文が、探究派公式ブログに連載というかたちで公表された。

みなさん！　これを読み対決してください。

下部組織成員諸君！　自分たちの組織建設の歪みを自覚し、それから決裂しようではないか！

二〇二一年三月一九日

〈12〉 われわれは内部思想闘争をどのように展開すべきなのか、を組織建設論的にほりさげる

「探究派公式ブログ」に連載中の「われわれは内部思想闘争をどのように展開すべきなのか」という松代秀樹論文の第二回からは、「組織討議はいかにあるべきか」にかんして積極的に組織建設論的にほりさげる。神官たちによる官僚統制と同志黒田寛一の神格化が完成する以前の革マル派組織建設そのものにおける歪みと欠陥をえぐりだし、これを探究派のわれわれがいかに突破しのりこえていくのかを、党組織建設論を適用しかつ豊富化するかたちでほりさげたのが、この論文なのである。

みなさん！　この論文に主体的に対決し、革マル派組織建設そのものにはらまれていた弱さをどのように克服しのりこえていくのかを熟考し、おのれを、組織建設の弱点をのりこえていく主体たらしめよう！

「革マル派」の下部組織成員諸君！　この論文に照らしておのれを省みて、現指導部の指導する組織建設の誤謬と腐敗を自覚し、彼らから革命的に決裂しよう！

二〇二一年三月二〇日

〔13〕「労働者の方々」と労働者を敬わせる

「解放」最新号（第二六六〇号二〇二一年三月二二日付）には、「二・一四 労働者怒りの総決起集会に参加して」という感想文が三つも載っている。文章表現上全学連の学生という押し出しのメンバーが二人と「病みあがりで感染の不安もあった」「非正規労働者」が一人だ。よほど原稿がないのだろう。よほど感想文を書く人がいないのだろう。

言葉づかいが異常なのだ。「労働者の方々」「現場の労働者の方々」と。いくらなんでもこれはないだろう。この感想文を書くのを指導し・書かれた原稿を点検した「革マル派」現指導部が、現場の労働者とかけ離れた地平に存在し、現場の労働者を敬い奉るまでの感性になっているということが、この言葉にあらわとなっている。全学連の学生が書くのであるならば、「わが先輩労働者の仲間たち」と書くのが普通であろう。「方々」というように、現場の労働者を――自分には疎遠なものとして――自分の外側に置くことはないだろう。先輩の仲間たち、この組織そのものがこのおのれを組織成員としてつくりだしてくれたのであるにもかかわらず、つくりだされたこのおのれはこの仲間たちを自分にとっては疎遠なものとして感じ、このおのれ自身を組織から疎外しているのである。筆者の立場からはこういえる。

おまけに、「基調報告」者の「竹内さん」は「呼びかけておられた」というように、基調報告者に敬語を使っているのだ。「革マル派」現指導部は、下部組織成員たちに自分たち指導部を敬い奉らせているのだろう。普通このようなことを書くときには「呼びかけた」でいい。「呼びかけておられた」というのではあまりにもよそよそしい。現指導部のメンバーたちは、黒田寛一を神格化し、下部組織成員たちに黒田寛一を崇め奉るように指導しているので、自分たちにたいしてもそうするようにしむけるのだろう。下部組織成員にとっては、指導部は、自己の外側の高い位置にある存在として、疎遠な・よそよそしい・自分の手のとどかないものとして感じるのであろう。

二〇二一年三月二二日

〈14〉資本家に期待されることを期待するのが即自的労働者?!

「革マル派」現指導部はまた変なことを言いだした（「解放」最新号＝第二六六一号二〇二一年三月二九日付）。

「われわれは、今春闘のただなかにおいて、労働者に「雇用主に期待され労働報酬を期待する」即自的被雇用者意識から脱却することを促し、労働者階級の一員として自覚し階級的に団結して共にたたかうように働きかけていこうではないか。」と。

労働者は、雇用主＝経営者に期待されることを期待しているのではない。コンチクショーと怒っているのである。「こんなにこき使って・こんなに低賃金とは何だ!」と頭にきているのである。そうでありながら、彼はなお、自分が資本家によって搾取されている賃労働者である、と自覚しえていないのである。

筆者は何と観念的なことを書いているのであろうか。これを書いたのは、一度も疎外された労働をやったことのない常任メンバーであろうか。それとも、教育的措置をうけて、賃労働者として働いたことのある常任メンバーが書いたのであろうか。もしも後者であったとするならば、彼は、職場では、経営者や管理者に期待してもらうことに汲々としていたのであろう。

日本語としても、「雇用主に期待され労働報酬を期待する」では意味が通じない。「雇用主に期待されることを期待して働きこの労働が報われることを期待する」でなければ意味が通じないのである。この筆者は、『実践と場所』での同志黒田寛一の表現を借りてきてシャレたことを書くことができたと悦にいっているのであろうか。黒田は、その著書の第一巻で次のように書いているからである。

「たしかに実際には、「社会的役割存在」としての人間は、相互に他者に期待され他者を期待しつつ行為するばあいもある。」(一六六頁)と。

だが、これは、廣松渉の「期待され期待する者と期待し期待される者との相互関係」論を批判するために、そういうばあいもある、としたものにすぎない。

それとも、かの筆者は、廣松渉のこの論そのものにみずから洗脳されてしまったのであろうか。「即自的な被雇用者意識」などというようなものを設定することそれ自体がおかしいのである。「即自的な」とくれば、そのあとは「労働者意識」でなければならない。そしてそれは、資本家にたいする即自的な反抗の意識なのであり、自己の労働が疎外されていることの直観なのである。

「雇用主に期待されることを期待する」「被雇用者意識」などというものは、即自的な労働者の意識なのではなく、「雇用主と被雇用者とは一体であり家族共同体をなす」というような・資本家どものふりまくイデオロギーに汚染された労働者の意識なのである。

「即自的な被雇用者意識」などというものを設定するのは、自分の目の前にいる労働者をどのように変革しオルグするのか、というように実践的に構えることができず、もう駄目だ、オルグれない、と筆者があきらめきっていることにもとづくのである。

たしかに、契約更新時に、自分一人だけが時給を上げてもらえず、管理者から退職することを期待する態度を露骨にしめされ人格をも否定するような言葉でなじられたときに、これは自分が仕事の仕方について抗議してきたことへの報復だ、とこの管理者に強烈な憎しみと恨みを抱きつつも、自分はこんなに仕事ができるのに会社にとってはいらない人間なのか、と落胆してうちひしがれ退職を決意する、というように、ほとんどのパート労働者はなってしまう。こういう労働者を、いっしょにたたかうから踏ん張ろう、やめるのではなくこの職場でたたかおう、とおったてるのは大変なのである。私が管理者たちを呼び出して、「この人の時給を上げてくれ」と闘争しても、彼らは頑としてこれをはねつけたのであり、その労働者は「ありがとう。そうやってくれて気が済んだから」と言ってやめてしまったのである。

これが、労働者の現実である。

「〔雇用主に期待され労働報酬を期待する」即自的な被雇用者意識」などというのは、自分が労働者をオルグできないことを相手の労働者に責任転嫁し、労働者への不信に満ち満ちた者の観念的被造物にほかならない。

「革マル派」の下部組織成員諸君！
このような現指導部を打倒しよう！

二〇二一年三月二六日

〔15〕米・中の自己正当化の言への幻惑

「革マル派」現指導部は、米・中のアンカレジ外交会談にかんして、「価値観の全面的対立をあらわにしたアンカレジ会談」などと評論している（「解放」最新号＝第二六六二号二〇二一年四月五日付）。

価値観の違いが米・中の抗争の根源なのか。このような評論は、米・中の双方の外交責任者が自国の諸行動を正当化するために発した言辞に、すなわちニュースで報じられた派手な立ち回りとその言葉に、分析主体たる筆者が幻惑され、その言葉を、あらわになった根源的なものたる「価値観」の対立として解釈したものにほかならない。

「価値観」などという言葉をもちだすのは、かつてのゴルバチョフばりの「全人類的価値」をみずからの価値観としているせいなのか。それとも、米・中の対立を、かつての米・ソのイデオロギー的対立と同様のものとして描きあげたいがゆえなのか。

彼らは言う。

「それは、「人権・民主主義」の旗手を自称するアメリカ帝国主義と「人類共通の価値」の擁護者を自称するネオ・スターリン主義の中国との全面的衝突の場となった。」と。

米・中の全面的衝突の場は世界そのものである。会談の場は、たかだか、双方の外交官たちが口から泡を飛ばした場であったにすぎない。「革マル派」現指導部が見る場はきわめて小さい。テーブルを囲んだ場であったにすぎない。

双方の外交官たちの発した言葉は、全世界的規模での脱炭素産業革命の主導権、情報通信技術の開発に不可欠なレアメタルの争奪戦の勝利、宇宙空間およびサイバー空間における軍事的優位などなどを確立するためにしゃにむに行動する自国を正当化するためのイデオロギー的煙幕なのである。そのイデオロギーを旗印とする・この両国家の抗争そのものをあばきださなければならない。

そのばあいに、この会談での諸言辞を、その物質的基礎との関係において分析するのでも構わない。これは、イデオロギー論的分析となる。

あるいは、この会談でのやりとりをきっかけとしながら、両国家の抗争そのものを分析するのでも構わない。これは、情勢分析となる。

こんなことを言っても、彼らには猫に小判であろう。

彼ら現指導部には、現代世界の動きを分析する問題意識も感覚もないのであり、分析する方法を喪失して久しいのである。

こんなことを書いていると、糸色望さんに、また怒られるぞ。

二〇二一年四月一日

〔16〕 ∧反スタ∨なんぞクソ食らえの解釈頭

「革マル派」現指導部の面々の目は、分厚い半透膜でおおわれている。耳も鼻も舌も皮膚および体全体も、分厚いクッションでおおわれている。彼らは、現実から自己にかすかにもたらされる感覚の断片を、これまた自己の頭のなかに漂う言葉でもって解釈しているだけなのだ。∧反スタ∨もへったくれもない。自分たちが他方で主張していることとのつじつまを合わせよう、という意欲さえもがない。

∧経済の半ば開かれたブロック化∨というキャッチフレーズと、中国がいち早く経済の回復を見せたことの解釈とにつらぬかれているものが、これである(「解放」最新号＝第二六六三号二〇二一年四月一二日付)。

まず前者から。

筆者は、米中の対立を挙げたうえで、「各国は」「∧経済の半ば開かれたブロック化∨の攻防を激化させている」と言う。「ブロック化」と言うかぎり、これは、米中の対立を基軸として運動する二一世紀現代の世界経済を、「ブロック化」と呼ばれる一九三〇年代の世界経済と類推して規定したものである。

だが、一九三〇年代の経済のブロック化は、相対立する帝国主義諸国がおこなったものであった。何の概念規定もおこなうことなく、あるいは何の注釈もつけることなく、現代の米中の対立を「ブロック化」と特徴づけるのは、今日の中国を帝国主義国と同様のものとみなすものなのである。彼ら現指導部の面々は、中国を「ネオ・スターリン主義」と規定していたのではなかったか。そんな食い違いについては、彼らはへっちゃらなのだ。そんなことはどうでもいいのだ。いま書いている文が、文として成立していればそれでいいのだ。自分たちはスターリン主義と対決しているのだ、と自己に言い聞かせ・他者に見せかけるために、「中国ネオ・スターリン主義」という言葉を使っているだけのことだからである。彼らにとって〈反スタ〉は、かつてのブクロ＝中核派と同様に、鼻輪でしかないのである。

二一世紀現代においては、中国（およびロシア）が独自の国家資本主義の国であるということ、すなわち、それは、スターリン主義党＝国家官僚であった者どもがスターリン主義政治経済体制を解体し、これを資本制政治経済構造に変え、みずからが資本家的官僚ないし官僚資本家に転化したものである、ということに特質があるのである。このことをおさえて、米中の対立を分析するのでなければ何の意味もないのである。体全体が半透膜あるいはクッションでおおわれているのであるかぎり、こういうことを感覚することは決してできないのである。

後者。

筆者は次のように書いている。

新型コロナウイルスの感染拡大によってサービス産業が打撃をうけた。それゆえに、サービス産業を肥大化させてきた帝国主義国ほど危機を脱却できない。これにたいして、今なお農業が大きな比重を占め製造業が中心的である中国がいち早く危機を脱した、と。

なんとまあ、ゾウの鼻をクッション越しに触っているような感覚であることか。中国よりももっとサービス産業が発展していず農業およびその他の産業の比重が大きい多くの資本主義諸国において今なお・いやよりいっそう・新型コロナウイルス感染症が蔓延しており、経済的危機に瀕し、労働者・農民・その他の職にたずさわる民衆が苦しんでいるという事実を、彼らは感じとることさえできないらしい。

中国がいち早くその経済の成長をしめしたのは、その政府が、強権的なかたちで、人びとの移動を禁止したり、ＰＣＲ検査を大々的に実施しその陽性者を強制的に隔離したりして、コロナウイルス感染症の拡大を抑えこんだからなのであり、このことを基礎にして、産業構造を脱炭素というかたちで再編するための投資に猛然と踏みだしたからなのである。

すなわち、スターリン主義官僚から転化した者どもが中軸をなす資本家階級、この階級の利害を体現する政府が、スターリン主義政治経済体制を解体してうちたてたところの・政治体制および政治経済構造を基礎にして、右記のような諸行動をとったことが、中国の経済が成長しはじめたことの根拠をなすのである。

筆者は、この原稿を書いているときには、中国をもふくめてあらゆる国ぐにを、後進の資本主義国であったのからだんだんと資本主義を発達させてきた国とみなしているのである。そのときには筆者は、パソコンを打つ指を動かすのに必死で、自分たちは〈反スタ〉を装わなければならない、という意識さえもがないのである。

二〇二一年四月八日

〔17〕日本の三流帝国主義への転落――変異種の蔓延

感染力の強い変異種が従来種と入れ替わるかたちで新型コロナウイルスの感染が急拡大している。重症者が重症病棟に入れず死に至らしめられる事態が相次いでうみだされている。ここに、政府は三度目の緊急事態宣言を発令することを余儀なくされた。

政府は、日本での感染の拡大が、オリンピックを中止に追いこまれないようにPCR検査を制限してきたことにもとづくことをおおい隠し、自己保身に自己保身をかさね、犠牲を労働者・勤労民衆に転嫁しているのである。

日本の国家権力者と独占ブルジョアジーは、諸独占体を救済するために国家財政資金を投入することに必死になって、ワクチンを自国で開発し生産することができなかった。ワクチンを輸入することさえままならない。老人にワクチンを打つ医療従事者がまだワクチンを打っていない、という事態に追いこまれている。

こうした事態は、日本が三流の帝国主義国に転落したことを意味するものにほかならない。

強権的にウイルス感染を抑えこんで経済を回復基調に向かわせると同時に、ワクチン外交を展開して勢力圏の拡大をはかっている国家資本主義国中国とは、これは大違いである。

ところが、まるごとの――すなわち支配階級と被支配階級との両者をひっくるめたまるごとの――日本がまるごとのアメリカの「属国」となっていると捉え、これからの脱却を希求する、という・日本のナショナリズムをみずからの精神的支柱としている「革マル派」現指導部は、日本の地位劣化というこのような事態を見たくないのである。そこから目をおおいたいのである。

彼らのこういう精神構造の産物が、中国はサービス産業がまだ十分に発達していない後進国であるがゆえにウイルス感染の打撃が少なく経済は回復したのだ、という言説なのである。

二〇二一年四月二二日

〈18〉「ドルと石油取引とのリンク」とは？

「革マル派」現指導部はまた変なことを言いだした。

これまでは、金とドルとのリンクに代わるものとして、ドルは石油取引とリンクされていたのであったが、脱炭素化によってこれが崩れる、というのである。

いったいどんな頭をしているのか。

次の文章を見よう（「解放」最新号＝第二六六五号二〇二一年四月二六日付）。

「エネルギー政策の大転換をはかる「脱炭素化」の追求もまた、〈ドル体制〉の基礎を揺るがすことにつながっている。「金とドルとの交換停止」によって金から解き放たれたドルは、石油取引とのリンクに支えられて国際基軸通貨の地位に居すわりつづけてきたのであって、石油から自然再生エネルギーなどへの世界的なエネルギー戦略の転換の流れは、こうした基軸通貨を掘り崩すことを意味する。中国が脱石油のエネルギー戦略を世界に広めようとしているのは、〈ドル体制〉に風穴を開けるためでもあるといえよう。」

この筆者は、「ドル」の「石油取引とのリンク」ということをどのような意味内容で言っているのであろうか。

もしも「リンク」という言葉を通常エコノミストが使っている意味においてもちいるのだとするならば、石油は、〈一バレル＝なになにドル〉というように、ドルで表示されるその価格が固定されていなければならない。これが「リンク」の意味である。ところが、ドルで表示される石油の価格は日々変動しているのである。それとも、石油は、ドルでもって表示される価格で取引される、ということだけを言っているのであろうか。そうであれば、それは石油に限らない。石油も金も、国際的に取引される諸商品の圧倒的部分が、ドルで表示される価格でもって取引されるのである。

あるいは、この人は、「金とドルの交換停止」ということを、〈金とドルとの一定の固定された比率での交換の停止〉ということではなく、〈金とドルとがまったく交換されなくなったこと〉として理解しているのであろうか。だが、一九七一年のニクソン声明以降でも、金は、金の自由市場においてドルでもって表示される価格で取引されているのである。その価格が日々変動しているのであり、そして主要な国ぐにの通貨のあいだの交換比率が日々変動しているのである。これが変動相場制である。

この質問に答えてもらいたいものだ。

この文章が何らかの現実的意味をもつとするのであるならば、その意味内容は、これまではエネルギーの基本的なものをなす原油をアメリカ帝国主義がにぎっていたがゆえにドルは基軸通貨の地位を保っていたのであったが、これからは自然再生エネルギーの分野で中国にアメリカが敗北してしまうならば、ドルはその地位を失う、ということになる。これはあまりにもあたりまえのことであって、「リンク」どうのこうのと大仰にいう話ではない。

この筆者がこのような羽目におちいるのは、彼が徹頭徹尾、流通主義におちいっているからである。脱炭素産業革命が世界経済にとってもつ意味を、彼は流通主義的にとらえているのである。通貨にとってどういう意味をもつか、というように、である。

諸産業部門において炭素をエネルギーとして使わない技術を開発し製品や生産過程に導入すると同時に、他面では、炭素をエネルギーとして使う既存の生産設備を直接的に廃棄し、そこで働いていた労働者たちを放逐する、という大攻撃として、「脱炭素化」を彼らが実感していないことに、それはもとづくのである。

その思考法上の根拠は、彼らが非唯物論に転落していることにある。

「中国が脱石油のエネルギー戦略を世界に広めようとしている」という句をとりあげよう。

ここでは、中国国家権力者が・みずからの頭のなかにえがいている戦略を・世界の物質的現実に貫徹＝物質化する、というこの主体の実践が、理論展開上欠落しているのである。すなわち、実践論がパーなのである。エネルギー戦略というのは主体のもっているイデオロギーである。「戦略を世界に広める」というのでは、中国の権力者が、他の国ぐにの権力者に、こういう戦略をもちなさいよ、と広める、という意味になってしまう。中国の権力者の布教活動のようになってしまう。ところが、この部分をうけるのが「風穴を開ける」なのである。そうすると、この「広める」は物質的な動きでなければならない。すなわち、中国の権力者は、みずからの戦略を世界の現実に貫徹＝物質化し、みずからの勢力圏を広げる、という叙述展開でなければならないのである。

あらゆる文が、これと同様の、観念論・ないし・タダモノ主義に堕している。

冒頭の文の「「脱炭素化」の追求」というのは、イデオロギー的な追求なのか、それとも物質的な追求なのか。その前の「エネルギー政策の大転換をはかる」をうけるのだとするならば、――「政策」なのだから――イデオロギー的追求でなければならない。ところが、後ろの「……基礎を揺るがす」につづくと考えるならば、物質的追求でなければならない。頭のなかで考えることと実践場面で行動することとが完全にダブっているのである。

真ん中の「世界的なエネルギー戦略の転換の流れ」とは何なのか。戦略を構想する主体なしに・戦略の転換なるものが・川の流れのように流れるのか。語の意味を善意に理解して・主体をおぎなうならば、この句は、各国の権力者が相次いで戦略を転換しているという流れ、ということになる。ところが、これが「……を掘り崩す」とつづくのである。権力者が戦略を転換しただけでは、これは権力者の頭のなかでの出来事であって、特定の現実を掘り崩すことはできない。……を掘り崩すためには、権力者は・転換した戦略にのっとって行動しなければならないのである。このことがすっぽりとぬけ落ちているのである。元の文では、戦略の転換の流れなるものが・観念の世界から現実世界に流れ出て、あたかも水の流れが堤防を掘り崩すかのように、特定の物質的なものを掘り崩す、というようになっているのである。

文章展開がことごとくこのようなものとなるのは、「革マル派」現指導部の面々は、自分の頭のなかで思い描いていることが、現実世界において生起していることである、と思いこむ観念にとりつかれているからなのである。

二〇二一年四月二二日

〔19〕リードでは「「属国」日本を総動員する」が消えた

インターネットについさっき掲載された「解放」最新号（第二六六六号二〇二一年五月三日付）のリード部分では、日米会談にかんして、「日米両国が対中軍事包囲網の構築に踏みだし、対中攻守同盟としての日米軍事同盟をその中軸たらしめることを宣明にした」とのみ記され、その前の号のリード部分では「「属国」日本を総動員することを告知するものであった」というようなかたちで記載されていたところの「「属国」日本」という規定は消えた。

このことは、「革マル派」現指導部が、あまりにも現実離れした「属国」規定を後景にしりぞけ、反米民族主義の色彩を弱めはじめたことを意味しないであろうが、本文を見るのを楽しみにしよう。

二〇二一年四月二八日

〔20〕「日米同盟の鎖につながれた日本」論は消滅した

「解放」最新号（第二六六六号二〇二一年五月三日付）の一面トップ論文の全文を見た。「「属国」日本」という言葉は、「世界唯一の「属国」日本の政治的・軍事的・経済的力を総動員していくためなのである」というかたちで、ただ一回でてくるだけであった。

従来使われていた「日米同盟の鎖につながれた日本」という表現は消し去られた。この表現では、いかにも〝鎖につながれた犬〟のようであり、日本共産党の「アメリカの戦争に日本がまきこまれる」論にあまりにも似てしまってみっともない、という意識に駆られて、「革マル派」現指導部は、この表現を消したのであろう。すなわち、彼らは、「「属国」日本」という表現は残して、あまりにも露骨な対米従属論は後景にしりぞける、というかたちで自己の見解をなしくずし的に修正したのであろう。そして、このなしくずし的修正をおおい隠すために、「世界唯一の」というような珍奇な修飾語を付け加えたのであろう。

彼らがおしだしているのは、この論文の末尾の「日本をアメリカとともに戦争をやれる国へと飛躍させる菅政権の策動を断固として粉砕せよ！」というスローガンにしめされるトーンである。台湾危機に際して「対中攻守同盟の強化反対！」というメインスローガンを基礎づけるためには、――このスローガンそれ自体は誤っていないのであるが、このスローガンを基礎づけるためには、――日本帝国主義の主体性をおしだされないことには空気が入らない、ということなのであろう。わが探究派の批判に屈服した、と見られようが、そんなことを気にしてはいられない、ということなのであろう。いかにも、政治ゴロと化した「革マル派」現指導部の感性ではある。

二〇二一年五月三日

〈21〉「『属国』日本」を枕詞に

記事を書く人がいないことから毎年合併号となっているところの恒例の「解放」五月連休明け号（第二六六七－二六六八号二〇二一年五月一七日付）の一面トップを飾った報告記事。

短い報告記事なのに、「『属国』日本を総動員して」「『属国』日本を総動員している」「『属国』日本を総動員する」というように、「『属国』日本を総動員」という語が、三回も出てきた。

八面のもっと短い一〇行ばかりの写真説明のような報告記事には、「バイデン政権に〝安保の鎖〟で締めあげられながら」という表現まで飛び出した。

あたかも、私に、なしくずし的修正だ、とあばきだされたのが悔しくて、俺たちは反米民族主義のイデオロギーを堅持してるんだ、と胸を張っているかのようである。しかし、現実には、これらを書いているのは報告記事の筆者層のメンバーたちだから、彼らはそのようなことを意識してはいないのであろう。彼らにとっては、これらの語は、文章を書くときの枕詞となっているのであろう。

二〇二一年五月一三日

〈22〉「革マル派」ロートル（老頭児）の悲哀

私のブログの読者から「革マル派東海地方委員会」のビラが送られてきた。送っていただいてありがとうございます。

そのビラには、「〈日米安保の鎖〉でしばられたアメリカ帝国主義の「属国」たる日本帝国主義の菅政権」という表現がでてきた。

こういうことを書くときには、「解放」紙上では、だいたい「……アメリカの「属国」日本の菅政権」というように表現されている。このビラを書いた人物は、「日本帝国主義」というように、「日本」に「帝国主義」という語をくっつけずにはいられなかったようである。

ここから推察するに、この人物は、一九六〇年代から七〇年代に元気に活動していたところのロートル（老頭児）メンバーなのであろう。この人物は、自分は、たとえ党（「革マル派」）中央に従って「属国」という言葉を使おうとも、対米従属論を唱える日本共産党のような反米民族主義に転落しているのではない、ということを自己に言い聞かせないわけにはいかないようなのである。

また、このビラには、「「安保の鎖」を断ち切らないかぎり、日本はアメリカに政治的・軍事的に従属せざるをえない」とも書かれている。この人物は、自分は党中央に従って「安保の鎖」という言葉を使うけれども、自分が用いる「従属」という規定は、黒田寛一が『現代における平和と革命』の第一章で書いている「従属」と同じ意味であり、それを踏襲しているんだ、と必死で自己納得させて、これを書いているのであろう。

「帝国主義」という語を多用するとともに、今日の「属国」規定を『平革』での「従属」概念と同じものとして解釈したがっているのだとおもわれるこの人物に、彼が〝古き良き時代〟として懐かしんでいるのであろう一九六〇~七〇年代の匂いを、私は感じるのである。

中央から離れた地方ほど、時代の流れが到達するのが遅く、古いものが残されているのと同様に、中央指導部の顔色をうかがう度合いが相対的に少ない地方のメンバーほど、古い自分を維持しているようである。

この人物の内面は、悲哀に満ちており、悲惨である。もう少し自己の主体性を発揮しようとすれば、党中央への面従腹背となるのであるが、そのようにもできないのである。この人物は、「革マル派」という名の組織のなかで余生をまっとうする以外にない、という意識に促迫されているとおもわれるのである。

党の機関を担うメンバーをも含めて、「革マル派」の下部組織成員諸君!

自分がこのようなものとなっていることを自覚し、自己否定を決意し、勇気をふりしぼって、党中央指導部から決裂しよう!

二〇二一年五月一四日

〈23〉　イスラエル・プロレタリアートへの呼びかけの欠如

「革マル派」現指導部は、「イスラエル・ネタニヤフ政権によるガザ空爆・パレスチナ人民虐殺弾劾」を叫び、「全学連がイスラエル大使館に怒りの拳」という闘争報告を掲載した（『解放』最新号＝第二六七〇号二〇二一年五月三一日付）

だが、この記事には、イスラエルのプロレタリアート・人民に決起を呼びかける呼びかけの言葉はまったくない。「イスラエルの労働者・人民よ、わが仲間たちよ、自国政府のガザ空爆を阻止するために決起せよ！」という呼びかけの指針もなければ、「自国政府のガザ空爆に反対してたたかうイスラエルの労働者・人民と連帯してたたかおう」という・日本においてたたかうわれわれの連帯のスローガンもない。

ここにしめされているものは何であるか。「イスラエルによる」という表現だけではなく、「イスラエル・ネタニヤフ政権による」という言葉をも使っているのだとしても、「革マル派」現指導部は、イスラエルの支配階級と被支配階級の両方をいっしょくたにした・まるごとのイスラエルを、みずからの敵としているのである。

これは、「革マル派」現指導部のイスラエル・プロレタリアートへの不信をあらわすものである。彼らは、イスラエルのプロレタリアートの力を信じないのだ。彼らは、現代革命の主体たるプロレタリアートの立場にたたないのだ。彼らは、イスラエルのプロレタリアートに、そしてアラブ諸国のプロレタリアートに、だから全世界のプロレタリアートに、プロレタリアートとしての階級的自覚をうながし、彼らを組織し動員する、という展望を投げ捨てているのだ。彼らの内面は、プロレタリアートへの不信で満ち満ちているのである。彼らは、プロレタリア・インターナショナリズムの立場を破棄し、踏みにじっているのである。

彼ら「革マル派」現指導部は、ハマスの闘いについては一切触れない。沈黙を守っている。その闘いを支持するとも、その闘いには限界があるとも言わない。判断停止におちいっているのであり、判断を回避しているのである。

ハマスの闘いをプロレタリアートの立場にたって考察しよう。マルクス主義の立場にたって考察しよう。

ハマスの闘いは、したがってハマスに領導されたパレスチナの労働者階級・人民の闘いは、パレスチナ民族主義とアッラーへの帰依というイスラーム宗教心とにもとづくものとしてゆがめられているのである。

「革マル派」現指導部は、このことを見る力さえをも喪失し、アラブ諸国の――支配階級と被支配階級の両方を含む――ムスリムたちに依拠し彼らを主観的に尻押しすることだけを考えているのである。

「革マル派」現指導部には、「パレスチナとアラブの労働者・人民は、パレスチナ・アラブ民族主義とイスラーム宗教心をのりこえてたたかおう！」と呼びかけるプロレタリア的感覚もなければ、「パレスチナ・アラブ民族主義とイスラーム宗教心をのりこえてたたかうパレスチナとアラブの労働者・人民と連帯してたたかおう！」と日本の労働者・学生に訴える、日本の地でたたかう者としてのプロレタリア的連帯心もない。

「革マル派」現指導部は、アラブの諸民族のブルジョア民族主義に迎合するという被抑圧民族迎合主義と反米民族主義に転落しているのであり、アッラーに帰依するというアラブの――支配階級と被支配階級の両方を含む――人びとのイスラーム宗教心に跪拝し依拠しているのである。

彼らは、相対立する諸国家にかんして、その対立を、一方の国の支配階級と被支配階級、他方の国の支配階級と被支配階級という四つ組を措定して分析し、両者の被支配階級同士の連帯と団結をかちとるという指針を明らかにする、というこの四つ組の図さえをも忘れ去っているのである。いや、そのように考えるというプロレタリアートの立場それ自身を、彼らは投げ捨て踏みにじっているのである。

二〇二一年五月二七日

〈24〉「パレスチナ独立国家樹立」はプロレタリアートの課題なのか

「革マル派」現指導部は、パレスチナ人民の課題として「パレスチナ独立国家樹立」を掲げる（「解放」第二六七〇号）。

もしもその地が帝国主義国家の植民地であるとするならば、その植民地の労働者・人民の「民族独立」は、プロレタリア世界革命の一環としての・植民地からの解放のプロレタリア革命の過渡的要求をなす。

だが、パレスチナは、イスラエル・ブルジョアジー独裁国家の植民地でもなければ、アメリカ帝国主義国家の植民地でもない。中東では、イスラエル国家と、パレスチナ自治政府およびアラブの諸国家とが、国家的に外的に対立しているのである。これらの諸国家はすべてブルジョア国家であり、パレスチナ自治政府もまたブルジョア政府であり、国際法上国家として認められていないだけのことである。

このパレスチナ自治政府が、国際法上、独立国家として承認されたとしても、パレスチナ自治政府が独立国家の政府となるだけであって、イスラエル国家とアラブの諸国家との対立・抗争の何の解決にもならない。

中東におけるこの国家的対立を解決するためには、イスラエルのプロレタリアート、パレスチナをふくむアラブ諸国のプロレタリアート、そしてアメリカ・日本・ヨーロッパ諸国・中国・ロシアなどなどのプロレタリアートが国際的に団結し、国際的に連帯してたたかい、中東のそれぞれの国のプロレタリアートが自国のブルジョア国家権力を打倒し、プロレタリアート独裁権力をうちたてなければならない。イスラエルのプロレタリアートとアラブ諸国のプロレタリアートは同じ仲間なのであり、対立することはない。中東におけるプロレタリア諸国家は、団結し、統一的意志を形成することができるのである。

これが、プロレタリア世界革命の立場にたっての・中東における国家的対立のプロレタリア的解決の展望である。これが、プロレタリア・インターナショナリズムの立場にたっての・全世界の革命的プロレタリアートの指針である。

イスラエル国家とアラブの諸国家の国家的対立の問題は、革命の問題として、われわれはうけとめなければならない。プロレタリア世界革命の展望を考えることを回避したうえで、それから自分の目をおおい隠したうえで、イスラエル国家とアラブの諸国家の対立の問題を考察することはできないのである。

「パレスチナ独立国家樹立」を叫ぶ「革マル派」現指導部は、現状の国家的対立をそのままにし肯定したうえでしか頭をまわすことができないのであり、プロレタリア世界革命の展望は、彼らの思惟と心のなかにはまったくないのである。彼らにとっては、その展望は、開けるべからずという紙の張られた玉手箱のなかに入れられているのである。

彼らはプロレタリア世界革命の立場とプロレタリア・インターナショナリズムの立場を投げ捨てたのであり、それを足蹴にし踏みにじったのである。

二〇二一年五月二八日

〈25〉アメリカ案と同水準のパレスチナ問題解決案

「革マル派」現指導部の提起する「パレスチナ独立国家樹立」は、アメリカのバイデン政権・および・パレスチナ自治政府の中軸をなすファタハが主張するところの「二国家共存」案、すなわちイスラエル国家とパレスチナ国家とが平和的に共存するという案とどこが違うのだろうか。「革マル派」現指導部の言う「パレスチナ独立国家」が「樹立」されるならば、このパレスチナ独立国家と現存のイスラエル国家とが併存することになるのであり、この解決策はアメリカ案と基本的には同じなのである。

もしも違うと言うのであるならば、どこが違うのかを展開してほしいものである。

もちろん、その解決策はアメリカ案と違うところがある。「革マル派」現指導部のその解決策は、彼らがそれを、プロレタリア革命の過渡的要求として位置づけているところが、アメリカ案と異なるのである。しかし、これは、内実が同じものを、その位置づけを変えて、すなわちそれの意味付与を変えて、あたかも別のものと見せかけているだけのことではないだろうか。

プロレタリア革命と言うけれども、何プロレタリア革命なのだろうか。すなわち、どこのプロレタリア革命なのだろうか。もしもパレスチナ・プロレタリア革命である、というのであるならば、パレスチナのプロレタリアートはみずからを階級として組織し、現存するブルジョア政府たるパレスチナ自治政府を打倒し、階級として組織されたプロレタリアートたるみずからを国家権力へと高めなければならない。プロレタリア国家とも、ブルジョア国家とも、その階級的性格が定かではないパレスチナ独立国家なるものを、パレスチナのプロレタリアートがめざすという余地は何もない。

もしも、「革マル派」現指導部の言うところの、樹立されるべき「パレスチナ独立国家」がブルジョア国家であるとするならば、そのようなものをめざすかぎり、パレスチナのプロレタリアートは、ブルジョア民族主義に転落し、みずからをプロレタリア階級として組織することはできず、プロレタリア革命を永久に実現することはできない。そのようなパレスチナ問題の解決策は、アメリカの「二国家共存」案と同じなのである。

「パレスチナ独立国家樹立」策をもって、「革マル派」現指導部は、ハマスを支持しそのもとに結集するパレスチナ人民をオルグできる、と考えているのであろうか。ハマスは、イスラエル国家を認めず、ユダヤ人を、パレスチナ人が居住していた地域から追い出せ、と要求しているのだからである。「革マル派」現指導部の案は、パレスチナ人民からはねつけられてしまうのである。

パレスチナ人民がブルジョア民族主義の立場にたつかぎり、ユダヤ人が第二次大戦以後に米英の帝国主義諸国に支えられてこの地に侵入してきたのだから出て行け、と要求することになる。

ユダヤ人がブルジョア民族主義の立場にたつかぎり、俺たちはもっとずっと前に追い出され、各地でいためつけられてきたのだ、この地にもどって建国するのは当然だ、領土をもっと広げるのだ、と主張することになる。

この対立は解決不能である。

ところが、「革マル派」現指導部は、ブルジョア民族主義の立場にたつと同時にアッラーに帰依しているパレスチナの人びとに依存し、彼らをみずからの主観のうちで尻押ししているのである。

これは、かつての四トロ（変質し腐敗した第四インター系トロツキスト）が提唱したところの「植民地革命無条件擁護」を、植民地ではない地の人びとに向かって叫ぶようなものである。

「革マル派」現指導部は、イスラエルのプロレタリアートにむかっても、パレスチナをふくむアラブ諸国のプロレタリアートにむかっても、ブルジョア民族主義と宗教心を克服し、みずからをプロレタリアートとして階級的に組織して、自国のブルジョア国家権力を打倒せよ、われわれは国際的に連帯するぞ、と呼びかけることはない。

「革マル派」現指導部は、プロレタリア世界革命の立場とプロレタリア・インターナショナリズムの立場を、投げ捨て足蹴にし踏みにじっているのである。そうであるにもかかわらず、彼らがこのような立場に自分たちがたっていると主観的には思いこんでいるのは、自分たちの過去の闘いの幻影を、古き良き時代の栄光として、自分の外側のタンスの奥にしまいこんでいるからなのであり、あそこにはあるのだ、と自己を慰撫しているからなのである。

二〇二一年五月二八日

〔26〕軍専制権力打倒をめざして不服従運動を展開するミャンマーの労働者・人民を支援しよう！

「連合」指導部や日本共産党など既成労働運動指導部による「民主的解決」要請運動への歪曲をのりこえ、ミャンマー労働者・人民支援の闘いを左翼的・革命的に展開しよう！

軍専制権力によるミャンマー人民弾圧反対！

ブルジョア民主主義的限界をのりこえ軍専制権力打倒をめざしてたたかうミャンマーの労働者・人民と連帯してたたかおう！

ミャンマーの労働者・勤労者・知識人・学生・生徒のみなさん！

国軍直轄の企業の労働者のみなさん！

ブルジョア民主主義を希求することの限界を自覚し、労働者階級の主導のもとに勤労諸階級・諸階層の革命的統一戦線を結成し、不服従運動を軍専制権力打倒の闘いへとおしあげよう！

日本の労働者・勤労者・学生・知識人は、ミャンマーの労働者・人民を支援するぞ！

全世界の労働者階級・勤労者たちは、ミャンマーの労働者・人民の闘いを支援し、国際的に連帯してたたかおう！

ミャンマーにおける、労働者・人民の闘いの指針の解明の骨組み

ミャンマーでは、国軍政府の学校再開の命令をはねのけ、教育労働者たちと学生・生徒たちは団結して、授業を放棄し、不服従運動を展開している。ミャンマーの労働者・勤労者・学生・生徒・抑圧された少数民族の人たちは、軍専制権力の血の弾圧を弾劾しそれに抗して、不服従運動というかたちにおいて不屈にたたかいぬいているのである。

そのなかの一定の人たちは、アウン・サー・スーチーが率いる国民民主連盟（ＮＬＤ）を支持しその政権の復活を願っている。この人たちは、米欧日の政府が自分たちを支援してくれることに希望を託している。他の人たちは、ＮＬＤ主導の政権が国軍の策動に抗しえず、少数民族の弾圧の問題に無力であったことを自覚し、国軍の政府の支配をうち破るために自分たちが団結して頑張るのだ、という決意をみなぎらせている。多くの人たちは、国軍政府の強権的な弾圧は、中国習近平指導部が彼らをささえているがゆえであることを見ぬき、中国政府を弾劾している。これらの人たちが結集して、種々の闘争形態を駆使し抵抗闘争を展開しているのである。

クーデターによって国家権力をにぎった国軍は、中国習近平指導部の支援をうけ・これと結託し、中国の国家資本にささえられて、国軍直轄の資本制的企業を経営してきたのである。国軍の高級幹部どもは、

同時に資本家として、その企業に雇った労働者たちを搾取してきたのである。そしてまた、日本の独占的諸企業を自国に誘致し、そこから利益を得てきたのである。

これにたいして、アウン・サン・スーチーのＮＬＤの階級的基盤となってきた資本家たちは、欧米の独占的諸企業から資本を導入し、それらとの取引を強化して、成長してきたのである。

したがって、欧米の資本にささえられた資本家を代弁する政治エリートが政府の主導権をにぎることに危機意識をもった国軍が、国軍直轄の資本制的諸企業を基盤とし、中国習近平指導部のコントロールのもとに今回のクーデターを起こしたのだ、といわなければならない。樹立された国家権力は、中国習近平指導部にささえられ、国軍直轄の資本制的諸企業を経済的・階級的基盤としたところの、軍専制のブルジョアジー独裁権力なのである。すなわち、クーデターによって国家の統治形態が変わっただけなのであって、うちたてられた統治形態が軍専制なのであり、その本質はブルジョアジー独裁なのである。

ミャンマーの革命的プロレタリアートは、不服従運動を展開することをとおして、みずからをプロレタリアとして自覚し・スターリン主義をその根底からのりこえることを意志したプロレタリアをつくりだし、これを実体的基礎とする反スターリン主義革命的前衛党を創造しなければならない。この革命的前衛党は、国軍政府への不服従の戦術を提起して反政府の闘いを展開し、プロレタリアートを階級として組織するとともに、プロレタリアートのヘゲモニーのもとに勤労諸階級・諸階層を結集して革命的統一戦線を結成し、これを主体として、軍専制のブルジョアジー独裁権力を打倒し、プロレタリアート独裁権力を樹立しなければならない。

これが、ミャンマーの革命的プロレタリアートの革命戦略・組織戦術・戦術なのである。

ミャンマーの革命的プロレタリアートは、現下の政治危機という主客諸条件の分析に立脚して、この革命戦略・組織戦術・戦術を適用し、不服従運動の限界をのりこえるかたちでの当面の闘争＝組織戦術をうちだして、この運動を組織し、その担い手にブルジョア民主主義的な意識からの決裂をうながして彼らをたかめ、これを実体的基礎として、この闘いを反権力闘争へとおしあげていくのでなければならない。

――いま、私は、ミャンマーの革命的プロレタリアートの立場にわが身をうつしいれて、ミャンマーでいかにたたかうべきなのかという指針の骨組みを明らかにした。

その前の、最初のスローガンの部分は、日本における、ミャンマー人民弾圧反対、ミャンマー労働者・人民支援の闘いの指針のスローガン的表現であり、そのなかで、ミャンマーにおける労働者・人民の闘いの指針をサンドイッチのハムとしてふくめた指針をも提起した。

そのあとの文章の部分が、ミャンマーでの闘いの指針の解明の骨組みである。

最初の部分が、①ミャンマーにおける・政府に反対する運動の現状分析、すなわち、運動論的情勢分析、その次に、②ミャンマーの国家権力の本質的および現実的規定、そのあとが、③国家権力のこの分析に立脚したところの、ミャンマーにおけるプロレタリア革命の戦略・組織戦術・戦術の解明、最後のパラフラグが、④ミャンマーでの現下の闘いの指針の革命闘争論的解明である。

ミャンマーにおけるプロレタリア革命の戦略・組織戦術・戦術を革命理論的に解明すること（②③）と、革命闘争論的立場にたって、ミャンマーにおける現在の闘いをいかに反権力の闘いにたかめていくのかの指針を解明すること、すなわち革命闘争論的解明（①④）とは、理論のレベルが異なり、かつアプローチの仕方が異なることからして、論文としては別にして対象化しなければならないのであるが、ここでは骨組みを明らかにするものとして、つないで書いた。

(以上のことがらについて考察を深めるために、『日本の反スターリン主義運動 2』のベトナム反戦闘争の教訓、沖縄闘争の教訓、「のりこえ・おしあげ・めざす」の構造、そして革命理論の構造の図解などなどを参照してください。)

二〇二一年六月二日

〔27〕既成労働運動指導部による「民主的解決」要請運動への歪曲をのりこえ、ミャンマー労働者・人民支援の闘いを展開しよう!

「連合」指導部や日本共産党など既成労働運動指導部による「民主的解決」要請運動への歪曲をのりこえ、ミャンマー労働者・人民支援の闘いを左翼的・革命的に展開しよう!

軍専制権力によるミャンマー人民弾圧反対!

ブルジョア民主主義的限界をのりこえ軍専制権力打倒をめざしてたたかうミャンマーの労働者・人民と連帯してたたかおう!

ミャンマーの労働者・勤労者・知識人・学生・生徒のみなさん!

国軍直轄の企業の労働者のみなさん!

ブルジョア民主主義を希求することの限界を自覚し、労働者階級の主導のもとに勤労諸階級・諸階層の革命的統一戦線を結成し、不服従運動を軍専制権力打倒の闘いへとおしあげよう！

日本の労働者・勤労者・学生・知識人は、ミャンマーの労働者・人民を支援するぞ！

全世界の労働者階級・勤労者たちは、ミャンマーの労働者・人民の闘いを支援し、国際的に連帯してたたかおう！

「連合」指導部は、「国際労働組合組織と連携して、ミャンマー国内の国家権力が民主的な体制に移行されることを求める」という声明をだしたのであった。

これは、「連合」指導部が、ミャンマーで国家権力をにぎり専制的支配体制を敷いた国軍が中国習近平指導部のひも付きであることに驚きあわて、自分の主人である日本独占ブルジョアジーの立場にたって、同時に資本家である国軍幹部以外のミャンマー資本家階級の手に国家権力を移行すべきことを――「国際労働組合組織」という名の・その指導部である労働貴族どもといっしょになって――要求した、というものなのである。これが、「連合」指導部としては大仰な「国家権力」という言葉まで使って、「民主的な体制への移行」を求めた・彼らの真意なのである。彼らが「国家権力」という言葉を使ったのは、誰が国家権力をにぎるのか、中国習近平指導部のひも付きの部分なのか、それとも米欧日の独占資本家どもがあやつれる部分なのか、ということに関心を抱いているからなのである。ミャンマー国軍に日本の諸企業がくいこんでいると安心していたのに、習近平にしてやられた、と彼ら自身が悔しがっているからなのである。

日本共産党は、次のような志位の声明をだしたのであった。

「総選挙をへて民主的に成立した国民民主連盟（NLD）政権への現状復帰を行うよう要求する。」「国軍は対話と協議を拒否する理不尽な態度をあらため、平和的解決への取り組みに踏み切るべきである」、と。

ここにつらぬかれているのは、徹頭徹尾選挙ボケした感覚と思惟である。軍専制権力と不屈にたたかうミャンマーの労働者・人民に断固たる支援と連帯を表明するのではなく、労働者・人民に血の弾圧をくりかえす国軍に「平和的解決」をお願いする、などというのは、日本共産党それ自体が合法主義に転落しているからなのである。日本共産党幹部は、ミャンマーの労働者・人民の創意ある闘争形態を駆使した闘いにたじろいでいるのである。自己犠牲的なその闘いを支援するならば、自党への票が逃げてしまう、と党幹部は怖れているのである。

日本共産党幹部は、日本の労働者・人民の立場にたって、ミャンマーの労働者・人民に連帯を表明することはない。彼らは、日本国家としてどうすべきなのか、と考えているのであり、日本の国家権力者の立場にたって発想しているのである。

彼らは「民主的に選ばれた政権を軍事クーデターで倒すことは重大な国際問題であり、国際社会はこの暴挙を容認することがあってはならない」、と言う。これが、中国国家への彼らの批判なのである。「国際社会」などという、各国の国家権力者の集合体のようなものを想定し、その立場にたって、彼ら党幹部はものを言っているのである。

日本共産党幹部が労働者・人民の立場にたつのをやめてから久しい。右のような言辞は、彼ら党幹部が修正資本主義の路線に転落したことにもとづくのである。

われわれは、日本の支配階級の立場にたつ「連合」指導部と選挙ボケした日本共産党の対応を弾劾し、軍専制権力によるミャンマー人民弾圧弾劾、ミャンマー労働者・人民支援の闘いを左翼的・革命的に展開するのでなければならない。

二〇二一年六月二日

〈28〉私の批判から逃げまわっているかのようだ

「解放」最新号（第二六七一号二〇二一年六月七日付）を見ると、それは、私の批判から逃げまわっているかのような作りになっている。私に批判されるようなことを書くのを巧妙に避けているのである。

「六・一三―二〇労学統一行動に起て」という一面トップ論文のそれなりに長い部分がインターネット上に掲載されているのであるが、「日米軍事同盟強化の攻撃」という表現が味もそっけもないかたちで出てくるだけで、「「属国」日本を総動員する」ということを書くのかどうか、さらには「日米安保の鎖でつながれた日本」ということを書くのかどうかということが迫られることになる「対中攻守同盟としての日米軍事同盟の強化」という表現はまったく出てこないのである。せっかく「反改憲・反戦反安保」を課題として「統一行動に起て」と呼びかけているのに、「対中攻守同盟」という言葉さえもが出てこないというのでは、空気が入らないとおもうのだが。

パレスチナ問題についても、リード部分ではまったくふれていない。私に、イスラエルのプロレタリアートへの呼びかけがない、「パレスチナ独立国家樹立」というのではアメリカ案と同水準だ、と批判されたので、対応に苦慮しているのだろうか。

ミャンマー問題についても何か書くのではないか、と私は期待していたのだが、これも裏切られた。

この一面トップ論文の全文を見るのを楽しみにしよう。

二〇二一年六月三日

〈29〉 苦肉の策——「「属国」日本帝国主義」と語る

「解放」最新号のトップ論文の全文を読んだ。

「革マル派」現指導部は、私によって暴露され批判された自分たちの姿を下部組織成員の目からおおい隠すために苦肉の策を弄している。

「日米安保の鎖」というのが一か所でてきた。ここがミソである。

彼ら現指導部は、一方では、「日米安保の鎖」「属国」などと語って日本民族主義の人士たちの気をひくとともに、他方では、菅は帝国主義的支配者であって悪い奴なんだ、と学生たちをあおる、という二つの課題を一挙的に実現するのに必死なのである。

そこであみだされたのが次の文である。

「〈米中冷戦〉という現代世界の激動のただなかで、バイデン政権とともに対中攻守同盟の強化に突き進んでいるのが、日米安保の鎖でしばられたアメリカ帝国主義の「属国」日本帝国主義の菅政権なのだ。」

閉店直前に見切り品を二つくっつけて〝お安くしとくよ〟という売り方のように、同じ意味の、「日米安保の鎖でしばられた」という語と「アメリカ帝国主義の「属国」」という語の二つを〝妻のカカア〟的にくっつけて「日本」という言葉の頭の上にのっける、というのが、前者の、反米の人士にこびへつらうという反米民族主義の側面をなす。

他方、「帝国主義」という語を使わないことには自分の精神の安定をはかれないという東海地方のロートル（老頭児）の後塵を拝して、「属国」を受ける語を単に「日本」とするのではなく「日本帝国主義」とする、というのが、後者の、独自の利害を追求する日本の支配者への危機意識をあおる側面をなす。

そして、この両側面をもつところのもの全体を、「菅政権」の修飾語とする、というように、アジテーションの彩りにしているのが、「革マル派」現指導部なのである。形容詞＝修飾語をつないで文章をつづったポンタ（本多延嘉）と同様に、である。

さらに、論文の最後のスローガンを並べているようなところには、ミャンマー問題についてちょこっと触れているのであるが、「軍政権力による人民大虐殺弾劾！」と言っても、ミャンマーのプロレタリアートに呼びかける言葉はない。

また、パレスチナ問題にかんして、「ネタニヤフ・シオニスト権力によるガザへの軍事攻撃弾劾！」と言っているが、イスラエルのプロレタリアートへの決起の呼びかけはない。

「革マル派」現指導部は、プロレタリア・インターナショナリズムの立場を投げ捨て、ブルジョア民族主義と同質の反米民族主義に転落しているのである。

二〇二一年六月七日

〔30〕 やめられない！ 反米の人士たちへのすがりつき

「革マル派」現指導部は、反米の日本民族主義の人士たちにこびへつらい、彼らにすがりつくのをやめられないようだ。

「解放」最新号（第二六七二号二〇二一年六月一四日付）で、彼らは「日米の対中攻守同盟強化に狂奔する「属国」日本の政府」という見出しを付けた。

彼らは「属国」という言葉を入れずにはいられないのだ。どうしても反米の日本ナショナリズムの人びとに取り入りたいという内的衝動に駆られるのであろう。

また、見出しだから短くしなければならないので、「日本」に「帝国主義」という語をくっつけることができず、「属国」を受ける語は「日本」だけにしたのであろう。

その代わりに、何の「属国」なのかはわからないようにした。すなわち、「属国」の前に入れなければならない「アメリカの」という語を削ったのである。それとともに「対中攻守同盟」の前に「日米の」という言葉を入れて「日本」ということを押しだしたのである。彼らは、日本政府は日本の独自利害を追求しているのだ、というニュアンスを出したいわけなのである。

彼らは、日本政府は帝国主義国としての日本の独自利害を追求する悪い奴らなんだ、ということを言いたいのだけれども、反米の日本民族主義の人士たちにこびへつらうのをやめられないのである。

これは、彼ら「革マル派」現指導部が日本のプロレタリアートに不信を抱いているからなのである。日本の労働運動をどのように推進すべきなのかということの展望を、彼らがなくしているからなのである。

彼ら現指導部は、マルクスの言う「世界史的存在」たるプロレタリアートに信頼をおくことができなくなっているのである。そのようなマルクス主義的感覚を、そのような階級的な意識を、彼らはなくしているのである。このことは、彼らが、労働運動への組織的とりくみにおけるみずからの指導の破産を何ら反省せず、反省をかなぐり捨ててきたことにもとづくのである。

彼らは、二〇一二～一三年に「公務労働者は搾取されていない」と公言してはばからなかったのである。それを労働者同志から批判されても沈黙をもってのりきってきたのである。

全学連がイスラエルのガザ空爆を弾劾してイスラエル大使館への抗議行動をおこなったことの報告記事を、「革マル派」現指導部が「解放」紙上に掲載したとき、彼らは、自国政府に反対して決起すべきことをイスラエルのプロレタリアートに呼びかける言葉を一切発しなかった。ここにつらぬかれているのは、全世界のプロレタリアートにたいする彼らの不信なのである。

二〇二一年六月一〇日

〔31〕「公務労働者は搾取されていない」と公言していた！

二〇一二年に革マル派官僚は「公務労働者は搾取されているとは言わないほうがよい」と公言した。これは、公務労働や教育労働などのサービス労働の経済学的解明にかんするそれまでの追求の一切を否定するものであった。

今日から捉えかえすならば、それは、当時の革マル派中央指導部がみずからのプロレタリアートへの不信を公務労働論という理論追求の側から基礎づけたものであった、といわなければならない。したがって、それは同時に、労働運動への組織的とりくみのみずからの指導の誤謬と破産を何ら反省することなく、反省のこの回避を、「公務労働者は搾取されていない」という言辞をもって目くらまし的におおい隠すものだったのである。

この言辞を弄したのは、今日では「革マル派」の神官の一人となっている人物である、と推察される。こう言い放った革マル派官僚の講演にたいする労働者同志の筆になると思われる批判が山野井克浩論文というかたちで「解放」紙上に掲載された（第二二八六号二〇一三年九月二三日付）。

この論文を読むことによって事態を知った松代秀樹は、ただちに、党中央指導部の変質を弾劾する文書を書き、「或るサービス労働にたずさわる一パート労働者」からの投稿というかたちで「解放」紙上に掲載することを要求した。中央指導部は、その文書を無視抹殺した。

山野井論文の「解放」掲載は、中央指導部がその掲載をもって自己保身的に論争の収束をはかるものであった。以後、彼らは沈黙をきめこんだ。

今日的に検討するならば、革マル派官僚のその言辞は、「税務関係の公務員労働者についていえば」「搾取」という言葉は少し留保せざるをえません」という日本共産党系のスターリニスト学者・芝田進午の論述を――「税務関係の」という限定を取っ払い公務労働者全体に押しひろげるかたちで――丸写しにしたものであった。

中央指導部は、すでに二〇一二年の時点で、スターリニスト学者・芝田進午にオルグられそれに依拠するまでに変質し腐敗していたのである。実質上組織外に追放していた松代秀樹の組織内における理論的組織的影響力を断つ、という政治的目的を実現するために、彼らはそうしたのである。

「探究派公式ブログ」において、このことをあばきだす連載を開始した。その第一弾が、二〇一三年の松代秀樹の党中央弾劾文書の公表である。

みなさん、読んでください。

二〇二一年六月一一日

〔32〕 二〇一三年に労働者同志が党常任の変質を批判

二〇一三年に一人の労働者同志が山野井克浩という筆名でAさんと名づけた人物（革マル派常任メンバー）の変質を批判した。当時の革マル派中央指導部の尖兵となっていたその常任メンバーは何ら自己批判することなく開きなおるとともに、中央指導部は山野井論文の「解放」掲載をもって自己保身的に論争の幕引きをはかったのであった。

山野井論文の筆者は、Aさんなる人物が講演で言い放った次の言葉をとりあげた。

「公務労働者は剰余価値を生産しているとはいえず、不払い労働を自治体に取得されているのであって、行政サービスの生産過程において搾取されているとは言わないほうがいい」。

そしてこれを次のように批判した。

「サービス労働は経済学原理論の理論的レベルにおいては、物質的生産物を生産しないがゆえに「不生産的労働」と規定されて捨象され、段階論のレベルにおいて論じられる。この場合には「生産的労働」と規定される。「商品が使用価値と交換価値との直接的統一であるように、商品の生産過程である生産過程は、労働過程と価値増殖過程との直接的統一である。」（マルクス『直接的生産過程の諸結果』）、すなわち「生産過程の二つの側面が労働過程と価値増殖過程だ」ということである。そして、このような直接的生産過程からの類推において、段階論で論じられるサービス商品の生産過程も、労働過程と価値増殖過程との統一をなすとされなければならない。」

この批判は、まったく正しい。

この批判にたいして、Aさんなる人物を先頭とする中央指導部は、四の五の言って自己保身したのである。

それればかりではない。

中央指導部は、松代秀樹『「資本論」と現代資本主義』の第II部や『共産主義者』第八六号の笠置高男の「教育労働論」などに学び、運輸サービス労働や、その他の種類のサービス労働をふくむサービス労働について経済学的に追求してきた党常任メンバーを、組織的に処分し、筆を折らざるを得ない境遇に追いこんだのである。

それ以降、サービス労働論にかんする論文は、「解放」紙上にも『新世紀』誌上にもまったくでなくなった。その党常任メンバーの論文――彼は分野ごとにペンネームを使い分けていたのであったが、すべての分野の彼の論文――はまったくでなくなった。

さらに、中央指導部は、葉室真郷や片桐悠などをも相次いで組織的に処分し、彼らを論文を書くどころではないほどに痛めつけてきたので、原稿執筆者はいなくなってしまったのである。

この帰結が「解放」の八面から六面への減面であった。

中央指導部の面々がとった自己保身と自己保存の手段が、自分たちを批判する党常任メンバーを組織的に処分し、飼い殺しにする、ということだったのである。さらには、自分たちを批判する労働者組織成員にたいしては、彼らを組織の外に排除する、ということだったのである。

Aさんなる人物が主張したことはいかにひどいものであったのか、ということは山野井論文を見るとよくわかる。

「探究派公式ブログ」に、革マル派中央指導部批判の第二弾として、山野井克浩論文の全文を掲載しています。みなさん、読んでください。

二〇二一年六月一四日

〈33〉　中央指導部批判第三弾として笠置高男論文を掲載

その笠置高男論文「教育労働の経済学的考察」は、一九八三年に『共産主義者』第八六号に掲載されたものである。それは、それまで、教育労働を教育サービス労働として、また公務労働を公務サービス労働として経済学的に解明することを追求しつつもなおあいまいなところがあることをえぐりだし、それをどのように根本からひっくりかえし克服すべきなのかを明らかにしたものであった。

二〇一二年当時の革マル派中央指導部は、この論文の筆者の組織内における理論的および組織的影響力を断つという政治的目的を実現するために、この論文を理論的に抹殺することをこころみたのである。

この論文を読むならば、山野井論文の筆者に批判されたAさんなる人物の講演内容は、方法論的にも経済学的内実においても誤謬に満ち満ちたものである、ということが鮮明となる。

革マル派の組織成員は、過去にこの論文を学習したというメンバーが多いと思うけれども、今日的に再度検討されたい。

二〇二一年六月一六日

〔34〕松代秀樹「同志黒田寛一のレジメの政治的利用」という論文を第四弾として

革マル派中央指導部批判第四弾として、「探究派公式ブログ」に、松代秀樹「同志黒田寛一のレジメの政治的利用」という論文を掲載した。

この論文は、二〇一二〜一三年の革マル派中央指導部の策動を、今日的に暴露し批判したものである。

当時、党中央指導部の意を体現してその一メンバーが「公務サービスの生産過程は労働過程と価値増殖過程との統一をなすものではなく、公務労働者の労働は剰余価値を生産しない。したがって、公務労働者は搾取されていない」と宣言したのは、同志黒田寛一が書き残したレジメのほんの一部分を政治的に利用してのことであった。

この一メンバーの講演内容を、同志黒田寛一のレジメと照らし合わせて、この一メンバーがみずからの政治的目的を実現するために同志黒田寛一の公務労働論にかんするそのアプローチの仕方をいかに歪曲したのかをあばきだす、と同時に、同志黒田寛一の一つの間違いをも理論的に明らかにしたのが本論文である。

二〇二一年六月一八日

〈35〉「「属国」日本」という言葉はたった二回だけ

「解放」最新号（第二六七二号二〇二一年六月一四日付）の一面論文の本文に、「「属国」日本」という言葉がでてきたのはたった二回だけだった。一回ではなく二回というところがご愛嬌だ。「アメリカの「属国」日本の菅政権は、対中軍事包囲網をさらに強化・拡大するために……」というように、である。例の決まり文句だ。

わが探究派の批判に脅えているわけではない、と見せかけるために、「「属国」日本」という言葉を使いつつも、学生を何とかオルグるためには、菅政権は「米・日・欧の帝国主義同盟」にみずから加わる悪い奴らなんだ、ということをおしだしたい、という衝動に、「革マル派」現指導部は駆られているのである。まさに、彼らの言葉の使い方は政治ゴロとしてのそれなのである。

二〇二一年六月二〇日

〈36〉「革マル派」〝若手〟官僚・守門勘九郎の思考力の激減！

いまはもう若くはない〝若手〟官僚・守門勘九郎が久しぶりに論文を書いた。（「解放」最新号＝第二六七二号二〇二一年六月一四日付）

この名が久しぶりにでた、ということは、守門勘九郎その人の身に何かがあったのだろうか。それとも、わが同志たちを官僚主義的に組織外に追放したその常任メンバーの一員であるという彼の傷も癒えたのだろうか。先輩の常任メンバー川韮を組織的に処分し就職させるというトカゲのしっぽ切りに手をかした、という良心の呵責に、彼はさいなまれることもなかったのだろうか。

守門勘九郎は葉室真郷の弟子であった。彼は、葉室をして「守門の原稿は、うっそうと茂っているジャングルのようだ。枝葉を落とすだけではなく木をも伐採してすっきりさせるのが大変だったよ」と嘆かせるほどの・こねくりまわしの偉大な思弁力の持ち主であった。

いまはもう葉室は原稿を点検する地位にはいない。

ところが、である。今回の守門勘九郎の論文は非常にすっきりしているのである。それは、一本の直線のアスファルト道路というほどの、論理的に考えた形跡のまったくない・展開力の欠如した・小学生がそのまま大人になった人の作文というような論文なのである。

ようするに、昔の表現で言えば、それは、ブル新（ブルジョア新聞）の記事の寄せ集めのようなものなのである。いまでいえば、インターネット掲載の記事の寄せ集めというべきか。

彼よりも一つ下の世代のメンバーたちは同志黒田寛一から「コピペで原稿つくったのか」とよく言われていた。当時は、私は、脈絡から意味内容はわかるのだが、コピペという言葉がわからなかった。それは、コピー・アンド・ペーストということであるらしい。インターネット上に流れている情報記事を自分のパソコンにとりこんでおいて、原稿を書くという段になると、原稿用の新しいワード画面を開いて、前者の記事を適当にコピーしては後者の画面に順次張り付けていく、というかたちで論文をこしらえあげていく、というのがその方式であった。

先輩である守門勘九郎もまた後輩たちの後塵を拝してその方式を採用しているようである。

悪貨は良貨を駆逐する、である。

その論文は、「「脱炭素化」をめぐる米日・中・欧の経済争闘戦の激化」と題されたところの、四・二二～二三の気候変動サミットの分析である。

しかし、それは、この気候変動サミットでしめされた各国の権力者どもの政策の分析なのか、それとも、諸国の経済的争闘戦の激化という物質的事態そのものの分析なのか、ということがわからない代物なのである。前者から後者へとずるずるとつながっているものなのである。どちらの角度から見ても、まったくほりさげのない、退屈でくだらない・現象的な事実認識の書き連ねなのである。インターネット上の情報記事を寄せ集めるとこうなってしまう。記事を書いた記者たちは、方法論的問題意識など、もってはいないからである。

守門自身が、各国権力者たちの政策・イデオロギーをその物質的基礎との関係において分析することと、諸国の経済的争闘戦という物質的現実を、これを規定している各国権力者の政策・イデオロギーとの関係において分析することとの、アプローチの違いを考える、という思考法をとっくの昔に捨て去っているのである。

方法論的問題意識のこの欠如に規定されて、守門は、独占資本家どもが労働者たちにかけてくる攻撃にかんして、貧弱な直観と推論力しか働かせていないのである。

彼が言うのはせいぜい次のようなものなのである。

「独占資本家どもは、」「産業・事業構造転換に突進している。彼らは、新部門を担うために必要な技術・技能・知識の習得を労働者に求め、それができないとみなした労働者や縮小する火力発電部門などの労働者にたいして配転・解雇攻撃をしかけているのだ。」

これでは、よくいって、独占企業本体の正規雇用労働者を見ているものでしかない。

自動車の独占資本家どもに端的にしめされるように、彼らは、その生産をEV（電気自動車）やFCV（燃料電池車）などに切り替え、従来の下請け・孫請け企業をそこで働く労働者もろともに切って捨てることを狙っているのである。独占体本体の従来の工程に導入している非正規雇用労働者にかんしてもそうである。

さらには、独占体本体の正規雇用労働者にかんしても、新たな技術性をもった新たな労働力を導入し、従来の労働者にかんしては、他地方や他部門への配転などを命令し、退職に追いこんでいくことを、彼らは企てているのである。

諸独占体の生き残り策はそんななまやさしいものではないのである。守門をはじめとする「革マル派」現指導部の面々は、攻撃をうける労働者の立場にたって現実を分析してはいないのである。

二〇二一年六月二一日

〔37〕第五弾として松代秀樹「Aさんなる人物は芝田進午に依拠していた」論文

Aさんと名づけられた革マル派中央指導部の常任メンバーが、二〇一二～一三年に、それまでの公務労働にかんする、したがってサービス労働にかんする、それまでの経済学的追求の一切を否定したのは、日本共産党系のスターリニスト学者・芝田進午の見解に依拠してのことであった。

芝田進午が一九七〇年に出版した『公務労働』という本の内容と照らし合わせることをとおして、そのことを、われわれはつかむことができたのである。この常任メンバーが「公務労働者は搾取されていない」と主張したのは、芝田が税務労働者の労働について論じたくだりの丸写しであった。

当時の革マル派中央指導部の面々は、自分たちを執拗に批判してくる松代秀樹＝笠置高男の組織内での理論的・組織的な影響力を断つ、という政治的目的を実現するためには、スターリニスト学者の理論にながりふりかまわず依拠したのである。自分たちのこのような政治主義的行動を政治主義として自覚しえなかったのは、彼らがこのスターリニスト学者の理論にオルグられてしまっていた、ということにもとづくのである。

二〇二一年六月二二日

〔38〕弥縫に弥縫

「解放」最新号(第二六七四号二〇二一年六月二八日付)の一面は闘争報告だが、われわれの批判を怖れてか、学生を何とかオルグりたくてか、弥縫に弥縫をかさねているという体だ。

「「属国」日本の菅政権を従えて」というのがでてくるのは一回きりで、「「属国」日本」のくっついていない「日米の対中攻守同盟反対」がやたら多い。「対中攻守同盟」の前に「日米の」という語をくっつけ「日」が冒頭にくるようにしていることに、学生に危機意識を煽り立てたい、という彼らの腐心の跡が見てとれるのである。

また、反戦青年委員会の代表は、「画歴史的な事態のなかで」「この闘いは、まさに歴史的な闘いにほかなりません」としゃべったのだ、と押しだされている。大げさに見せかけるために「画歴史的」なる語を冠した客観的事態のなかに闘いなるものを客体的に位置づけ、それを、これまた「歴史的」なる語をもって外的に対象的に意義づける、というのが、この代表のふりしぼった知恵なのである。実践論が欠如していることの自己暴露である。

革マル派の代表も、「スターリン主義的膨張主義」などと「スターリン主義」という言葉を修飾語にして何ごとかを言ったかのように見せかけ、「中国のネオ・スターリン主義権力者は、「資本主義を恐れず利用せよ」という鄧小平の遺訓にのっとって」というように古臭い言葉をもちだして、現在の中国の政治経済構造を分析できないことをごまかしているのである。

彼らは、総じて、「プロレタリアートを信頼していない」というわれわれの批判から自分たちの身をおおい隠すかのように「プロレタリアート」という語を叫び、「イスラエルのプロレタリアートへの呼びかけがない」というわれわれの批判に自己保身をあらわにしたかのように「プロレタリア・インターナショナリズム」という言葉を脈絡もなく押しだしているのである。

二〇二一年六月二四日

〔39〕 ふたたび感性的直観力・思惟能力の衰退＝自己破壊について

私は、守門勘九郎の論文については、葉室真鄉が刈りこんだうえでのものしか読んだことがない。だから、葉室が刈りこむ前の、葉室が「うっそうとしたジャングル」と評したところの守門の元々の論理展開については、私は知らない。けれども、葉室が刈りこんだ後の論文から推測するに、観念的で解釈主義的な傾向をもっていたかもしれないが、守門がそれなりの思弁力を働かせていたことはたしかなのである。

ところが、今回の守門論文は、あたかも別人が書いたかのように、箱庭的にちっちゃく単線的にまとまったものなのである。「うっそうとしたジャングル」の見る影もない。奔放な葉室のもとではなく、きわめて器の小さい・今日の「革マル派」神官たちのもとでその目を気にしながら生きていると、これほどまでに頭が小さく委縮し干からびてしまうのか、とおもえるほどなのである。

気候変動サミットについての新聞記事（電子情報をふくめて新聞記事に代表させる）の内容をまとめることが論文を書くこととされているのである。したがって、内容上では、気候変動サミットにオンラインで参加した国家権力者たちがその会議の場面で演説というかたちで言い争ったことをもって、それらの諸国の「経済争闘戦」とみなされているのである。その場で権力者たちが言い争ったところのその発言の内容は、政策およびイデオロギーなのであるが、言い争ったことは物質的事態である。この物質的事態をもって、それらの諸国家および諸独占体が経済的争闘戦をくりひろげているという物質的事態そのものと、守門はみなしているのである。それぞれの国家権力者が発言した内容は、自国が今後どうする、という自己の指針をしめしたものである、ということから、自国が今後どうするという権力者の頭のなかの思惟内容と、それぞれの国家権力者の指針にのっとってそれぞれの国家がくりひろげている諸行動、これにもとづく諸国家および諸独占体の現実の角逐そのものとを、守門は同一視しているのである。

守門の頭がこのようなものに小さく凝り固まり、その頭の働きがこのような融通の利かない機械仕掛けのようなものになっているがゆえに、彼は、ブル新の記事の内容をまとめてこれに革マル主義の用語のコショウをふりかけることをもって、論文の出来上がりということにしてしまうのである。

われわれは、気候変動サミットの会議の場面を直接に見ることはできない。その現実を、われわれは新聞の記事などを読むことをとおして知るのである。記事を読むわれわれは現実そのものに相対しているのであり、われわれは、あくまでも気候変動サミットをめぐる現実的動向という物質的現実そのものを分析するのである。したがって、われわれは、新聞記事などを読み、その内容をわれわれが再構成することをとおして、その記事を書いた記者が対象としたところの物質的現実そのものを認識し分析しなければならない。

ところが、このように唯物論的に自分の頭をまわす、というように自覚的に意志していないばあいには、次のような傾向が発生する。すなわち、新聞記事などの内容を、それを書いた記者が現実を彼の頭で濾過して反映したものであると捉え、その内容をわれわれがわれわれの価値意識にのっとって取捨選択しわれわれ的に加工することをもって、われわれが現実を認識し分析することである、というように、新聞記事などの内容を出発点にして自分の認識＝思惟の営みを考える傾向が、それである。このばあいには、もろもろの新聞記事の自分の取捨選択の仕方や選択したものの自分の加工の仕方だけをそのメンバーはふりかえるにすぎず、自分ははたして現実そのものを反映しえているのかどうかというようにおのれ自身を疑うことができなくなってしまうのである。こうして、他者から自分の・現実の認識とは異なる、同じ現実の認識がしめされたとしても、では現実そのものの認識としてはどうかというように、他者を鏡としておのれをふりかえり、自分の・現実のその認識を是正する、ということが、そのメンバーはできなくなってしまうのである。

これのきわめて単純化された形態が、今回の論文を書いた守門勘九郎の頭のまわし方なのである。神官たちによって頭を小さく懲り固めさせられ、現実を感覚する五官そのものが半透膜によって遮られ麻痺させられ、五感がよどんでしまった守門の姿なのである。

二〇二一年六月二六日

〈40〉悲惨！　日本語も満足に書けなくなった

悲惨だ。「解放」最新号（第二六七五号二〇二一年七月五日付）の一面トップ論文は日本語になっていない。トップ論文を書くメンバーは日本語も満足に書けなくなってしまった。

注入してもらった同じ言葉を何度も何度も書き連ねていくだけだ。脈絡も関係なしに、である。筆者は、指導部としての威厳をしめそうとしてか、虚勢をはり、複雑な文章を書こうと苦心惨憺、このゆえに、同義反復、主語の修飾語と述語との関係が意味不明、前の文と次の文とのつながりの欠如などなどという代物ができあがっているのだ。

次のように、である。

「パンデミック恐慌と∧米中冷戦∨の熾烈化という現代世界の激動のまっただなかにおいて、アメリカ帝国主義に日米安保の鎖で縛られた「属国」たる日本帝国主義の菅政権は、バイデン政権とのあいだで「強固な日米同盟」をうたいあげ、日米軍事同盟を対中攻守同盟として飛躍的に強化するための諸策動に血道をあげている。経済的には、日本独占資本の延命のために、最大の貿易相手国である中国との通商関係を強化せざるをえないというジレンマに陥りながらも、……」。

これは、「革マル派」官僚の常套用語を長い文になるようにつないでいるだけなのだ。「日米安保の鎖で縛られた」ということと「日米軍事同盟の対中攻守同盟としての強化」ということとの内容上でのつながりがまったくわからない。もしも同じことを言っているのであるとすれば、文としては同義反復であり、内容的には、日本共産党と同じような、日本がアメリカの戦争にまきこまれる論になる。後者の「対中攻守同盟としての強化」を、帝国主義国日本の菅政権が主体的にそうするために血道をあげているものとして理解すれば、前者の「日米安保の鎖で縛られた」はまったくの空語となり、文字通りのお飾りの修飾語となる。すなわち、主語の修飾語を、述語でもって否定していることになる。

筆者は、このようなことに頭をまわす余裕さえもがない。筆者の頭はちっちゃく凝り固まり、注入してもらった用語を連ねて文にすることだけで必死なのである。

また、「ジレンマ」と書くかぎりは、何と何とのジレンマと書かなければ日本語にならないのであるが、一方の側だけを書いて事足れりなのである。内容上でも、軍事面と経済面とのジレンマというのではジレンマにならない。すれ違いになるだけである。その軍事面と経済面とがどのように連関するのかを明らかにしなければ、ジレンマという把握にはならないのである。

しかし、右に引用した文と論文のすべての文は、このように問題性をつきだすのももったいないと感じるほどの代物である。

注入してもらった用語を、あたかも子どもがおもちゃの列車を連結していくかのように、つないでいっているだけなのである。しかも子どもとは異なって大仰に見せかけるために機関車やお飾り列車をいっぱいさしはさんで、機関車と貨車と客車とをごちゃごちゃに並べるというものなのである。いま「注入してもらった」と書いたけれども、もしかすると、これは筆者にたいして失礼だったかもしれない。

この一面トップ論文を書いた筆者は、最高指導部の一員である或るメンバーなのかもしれない。彼は、自分たちが下部組織成員を政治的に操作するために彼らに注入してきた常套用語を、自分の威厳をかもしだすかのように、長々といくつもつないでいったのかもしれない。

二〇二一年七月一日

〈41〉 指導的メンバーの頭は液状化現象を起こしている！

「解放」最新号の筆者は、もはや、日本語の使い方がわからなくなるほどまでに、その脳細胞は液状化現象を起こしてしまっている。彼は、下部組織成員を鼓舞し政治的に操作するためには、精いっぱい肩ひじを張って、大げさな言葉を使わなければならない、という強迫観念にとりつかれているからなのであろうか。それとも、政治的にのみ頭をまわすことによって地金が露出しただけのことなのであろうか。

一文一文がおかしい。日本語がおかしい。

冒頭の文は次のようになっている。

「現代世界はいま、新型コロナウイルスのパンデミックと経済的破局に覆いつくされているだけでなく同時に、一挙的に先鋭化しつつある米・中の政治的・軍事的角逐によって戦争勃発の危機が高まっている。」

この文の前半と後半とがつり合いがとれていない。前半は、「現代世界は」を「覆いつくされている」で受けるのでいいのだが、後半は、「現代世界は」「高まっている」ではつながらない。後半を生かすためには、「現代世界では」「危機が高まっている」としなければならない。すなわち、「現代世界」は、前半では主語であったのだが、後半では〝どこで〟ということに移動してしまっているのである。

また、「だけでなく」とやってしまうとその前が死んでしまう。ここは前半も後半も押しだしたいのだから「だけでなく同時に」ではなく、「と同時に」としなければならない。

さらに前半それ自体を見ると、「経済的破局に覆いつくされている」は、いかにもおかしい。経済的破局は、風呂敷のように覆いつくすようなものではないからである。「経済的破局に」を生かすなら、それを受けるのは「みまわれている」でなければならない。そうすると、主語は、「現代世界は」というのではちょっとそぐわないので、「世界各国は」としなければならない。

他方、後半それ自体を見ると、「角逐」に修飾語としてくっついている「一挙的に先鋭化しつつある」と、そのような角逐を要因としてもたらされるものであるところの「戦争勃発の危機が高まっている」ということとは、意味内容としては同じことだから、ここは同義反復になっている。このような同義反復を回避するためには、この〝角逐〟にかんしては具体的なことを言わなければならない。たとえば、〝台湾をめぐる米・中の政治的・軍事的角逐の激化を要因として〃とかというように、である。

　このような検討にふまえて、筆者が言いたい意味内容は変えないで、文の表現を変えるとすれば次のようになる。

　〃世界各国はいま、新型コロナウイルスのパンデミックと経済的破局にみまわれている、と同時に、この現代世界では、台湾をめぐる米・中の政治的・軍事的角逐の激化を要因として戦争勃発の危機が高まっている。〃と。

　こうやっても、前半の社会的および経済的なことがらと、後半の政治的・軍事的なことがらとの構造をはっきりさせることができないが、表現を日本語らしくするというかぎりでは、これが限界である。この構造をはっきりさせるためには、この文を破棄して全面的に書き換える以外にない。

　以上のことは、筆者の価値意識をそのままにするとしたうえでの表現の問題である。私の価値意識を貫徹して内容を書き換えるということではない。

　編集局のメンバーたちは、このような日本語の表現を直すという作業をずっとやっており、こういう手直しをやることには自信をもっている。だから、往々にして必要以上に自分好みに手直しをやってしまう。それにもかかわらず、彼らがこのような手直しをやらなかったということは、このトップ論文の筆者が、彼ら編集局のメンバーたちよりも組織的地位のうえのメンバーだった、ということになる。もちろん、編集局のメンバーたちの頭もまた液状化現象を起こしてしまっている、ということなのかもしれないが。

　ここから見えてくることは次のことである。

　筆者が考えていることは、物質的現実を唯物論的に分析する、ということでは決してない。彼の頭はそういうこととは無縁なのである。彼をつきうごかしているものは、下部組織成員たちを政治的に扇動するために、「パンデミック」「経済的破局」「覆いつくされている」「一挙的先鋭化」「戦争勃発の危機が高まっている」というような精いっぱい大仰な言葉を使って文をつづる、ということだけなのである。表現ということから考えても、文のその位置にその語を置くことが日本語としてふさわしいのかどうか、ということなどは、彼には関係がないのである。

二〇二一年七月二日

〔42〕日本の外務官僚の自慢

先日、ＮＨＫはそのニュースで、日本の外務省の関係者たちが、「日本がうちだした外交政策が米国をはじめとする他の国ぐにに取り入れられた。こういうことはこれまでになかったことだ」と自慢するインタビューを放送していた。「自由で開かれたインド太平洋」というシンボルが、それなのだそうである。外務省北米局長の市川恵一がしゃべっていた。「これは、〈権威主義 対 民主主義〉というような二項対立の考え方ではないんです。どの国も排除しない、すべての国に開かれている、ということなんです。中国にも入ってください、と呼びかけているんです」、と。

これは、日本国家の外交政策をつかさどる官僚として、頭をひねりつくしたものだ、といえるであろう。

日本国家として、政治的軍事的には、習近平の中国による・世界の覇権をにぎるという国家戦略の貫徹に対抗して、日米軍事同盟を対中国の攻守同盟として強化し、かつ、反中国の日本の排外主義的ナショナリズムを内と外に貫徹しつつ、同時に、経済的には、中国を日本の諸独占体の資本の輸出先として、またレアメタルなどの諸物資の調達先として、そして諸商品の輸出先として、確保するために、インド太平洋地域を包括する大きな経済圏に中国をまきこんでいく、という――日本独占ブルジョアジーの階級的利害を体現した――日本の国家権力者の意志を具体化しねりあげたところの外交政策がこれだ、といわなければならない。

日本の国家権力者のアジア太平洋地域にかんする対外政策についてはこのように分析すべきである、と私は考える。「自由で開かれたインド太平洋」という文言は、日本人がつくるのに上手な玉虫色に仕上がっているのだろう。

二〇二一年七月五日

〈43〉　みたび官僚の頭の液状化現象について

これまでとりあげてきた「解放」最新号のトップ論文。次のような展開もまた、「革マル派」現指導部の・ほとんどかすかなものとなっている階級的立場からしても、おかしげなものであろう。

「中国経済」は「一部の大企業や国有部門の生産が回復しているその他方で、数多の労働者・農民工が大量解雇と賃下げを強制され困窮に突き落とされている。」

これは次のように書き直さなければおかしい。

〝中国では、国有部門の諸企業や一部の民間の大企業は、数多の労働者・農民工に大量解雇と賃下げを強制し彼らを困窮に突き落とすことを基礎にして、その生産を回復している。〟と。

「革マル派」官僚の書いた文は、企業の生産が回復しているのに、労働者・農民工が解雇と賃下げを強制されているのはおかしい、と文句を言っているものなのである。

この人物は、企業の生産が回復すれば、労働者も豊かになるのが当然だ、という価値意識にもとづいて文を書いているのである。彼には、労働者の生き血を吸って自己増殖する価値たる資本への怒りは何もない。この人物は、労資運命共同体イデオロギーないし階級協調主義イデオロギーに転落しているのである。もしもそうでないならば、こういうように書けばこのようなイデオロギーに転落していることを意味することになる、ということに気づかないほどに、この人物は日本語がテンデ駄目だ、ということになるのである。

それとも彼は、中国は毛沢東がつくった労働者の国だ、といまだに、いやいつのころからか、信じているのであろうか。反スタ魂をとっくの昔に捨て去って。この人物には、資本家的官僚ないし官僚資本家にみずから転身した・かつてのスターリン主義官僚への怒りが何もない。

二〇二一年七月七日

〈44〉私の批判に戦々恐々！　黒田寛一の陰に隠れる・こすい人物

「国際反戦集会　海外へのアピール」（「解放」最新号＝第二六七六号二〇二一年七月一二日付）を書いた「革マル派」官僚は、私の批判を怖れ自己保身に汲々としている。

このアピール文では「パンデミックに見舞われて」とか「内憂外患に見舞われている」とかと、「見舞われて」という語が目につく。これは、「解放」前号のトップ論文で「パンデミックと経済的破局に覆いつくされている」と書かれていたのにたいして、私が「風呂敷じゃないんだから、「覆いつくされている」は日本語としておかしいだろう。ここは「みまわれている」としなければならない」と揶揄したのを気にして、私が使った「みまわれている」という表現をとりこみつつ漢字に変えて「見舞われている」としたかのようである。とにかく、この文の筆者は、前のメンバーとは異なって自分は日本語ができるんだ、と押しだしているかのようにみえる。

しかも、この人物は、同志黒田寛一の文言を引っ張りだしてきてその陰に隠れる、というかたちで自分を守り自己を維持しているのである。彼は、同志黒田の権威を、自分を守る盾にしているのである。これほどまでにこの人物はこすいのである。

「パレスチナ国家独立」も「イスラミック・インター‐ナショナリズム」も、さらに日本は「アメリカの属国」ということも、黒田が書いているのだ、どうだ、まいったか、というわけなのである。

たとえ同志黒田が言ったのだとしても、革命的マルクス主義の立場にたって考察するかぎり、これらの諸規定は誤謬なのである。これらのことを書いたのは、同志黒田の限界なのである。われわれは同志黒田の限界をものりこえていくべきなのであって、同志黒田の一言一句に盲従することがわれわれの立場なのではない。この人物は、革命的マルクス主義の立場を黒田への信奉にすりかえているのである。

「パレスチナ国家独立」をめざすという指針は、植民地革命の論理を、植民地ではないパレスチナにあてはめた誤謬の産物である。

また、ムスリムたちの「ウンマ共同体」の希求を、「イスラミック・インターナショナリズム」と意味づけしたとしても、彼らをその宗教心から解き放ち、彼らにプロレタリアとしての自覚をうながし、プロレタリア・インターナショナリズムの立場を獲得させうるわけではない。

同志黒田は、「反スターリン主義者がムスリムの闘いを支持するというアクロバットをやったんだ」と言った。同志黒田が提起した右記の指針は、このアクロバットということに決定されたものである。このアクロバットをやるということそれ自体が誤謬なのである。これは、プロレタリア階級闘争の壊滅への同志黒田の絶望感のあらわれなのである。

「アメリカの属国」ということは、同志黒田自身がカギカッコつきで書いているように、マルクス主義的な規定としてではなく、大衆にわかりやすいようにという意味合いで提起しているものなのである。しかし、このように考えることそれ自体が、同志黒田が労働者たちのプロレタリア的変革に困難さを感じていることの表出なのである。

われわれは、同志黒田とともにわれわれがぶちあたり悩んだ問題を解決するために、彼の内面に踏みこみつつ考察しなければならない。

われわれが『コロナ危機、これとどう闘うか』のⅡの「〔1〕二一世紀現代において労働運動をいかに推進すべきなのか」で考察したことは、そういうことなのである。

このような困難な闘いから逃亡し身を寄せ合ったのが、今日の「革マル派」の神主となっている者たちなのである。

二〇二一年七月八日

〈45〉論敵たる私の理論的解明の姑息な模倣

「革マル派」の神主となった人物は、「解放」最新号掲載の「海外へのアピール」において、中国の企業経営者にかんして「共産党員でもある企業経営者」と書いている。この表現は、主体の・そのおいてある場に規定された・規定性の転換の論理を想起させるものである。そのようなものであるこれは、私が明らかにした理論的規定の表現を模倣したものなのである。この人物は、私の批判を少しでも免れるために、姑息にも――同志黒田寛一の言葉の陰に隠れると同時に、――論敵である私の用いた言語的表現を盗み取ったのである。

われわれは『ロシア革命の教訓』（創造ブックス、二〇一七年刊）において、「同時に党員であるところの経営者」(二五頁)と書いたのであった。これは、今日の中国では「国有企業の経営官僚であった党員が——国有企業の国家資本への転化にともなって——党員のままで資本家的経営者にその社会的存在形態を変えたということそのものが問題なのである」(二四頁)、というように理論的に解明したことを基礎にして創造した規定なのである。すなわち、中国では、スターリン主義的政治経済体制の解体のうえに資本制的政治経済構造が創出されたことに規定されて、企業経営者は、資本家的経営者つまり官僚資本家となった、という認識にもとづいて、私はこのことを書いたのである。わが「革マル派」官僚は、私の解明から「資本家的」ということ・つまり・「官僚資本家となった」ということをぬきさって、自己のアピール文に使う用語として借用したのである。「党員でもある企業経営者」とだけ書けば、どうにでもとれる玉虫色のものとなったのである。

この人物は、そのアピール文では、主要には「北京官僚政府」とか「特権官僚」という用語を用いるとともに、実質的展開とは関係のない最初の方に「ネオ・スターリン主義中国」という言葉を一つ配し、後ろの方に「中国のネオ・スターリン主義権力」という語を一つ配置する、というようにして、自分たちは「ネオ・スターリン主義」規定を堅持しているのだ、と空疎に胸を張ったのである。

今日の中国の政治経済構造を規定する、というような課題の追求はかなぐり捨てて、とにもかくにもその言葉だけは護持する、ということなのであろう。

ドン・キホーテの風車よろしく、「ネオ・スターリン主義中国」という言葉を掲げておかないことには、自分たちは〈反帝国主義・反スターリン主義〉世界革命戦略を堅持しているのだと見せかけることが、彼ら「革マル派」現指導部にはできないからである。

二〇二一年七月九日

〈46〉 黒田寛一を崇め奉るだけの・政治主義で気の小さい几帳面な人物

「革マル派」機関紙「解放」掲載の「国際反戦集会　海外へのアピール」を執筆した人物は、その文体と論述の仕方から推察するに、自分自身がただただ黒田寛一を信奉し崇め奉るだけの・政治主義であると同時に・神経質で気の小さい・どうでもいいことをくどくどと考える几帳面な人間である。

この人物は、私のこのブログと探究派の批判に耐えられなくなったのだ、とおもわれる。下部の組織成員たちがたとえわれわれの「革マル派」現指導部批判を読んだとしても彼らが自分たち指導部から離反することがないようにするためには、――自分自身は中身が空っぽなので、――黒田寛一の本に出ている言葉を引っ張りだしてくる以外にない、と彼は考えたのだ、とおもわれるのである。〝あいつらが批判している言葉は、黒田寛一の本のここに出てくるんだ。実は、あいつらは、黒田を批判している悪い奴らなんだ。あいつらは背教者なんだ。あいつらの言うことを信じるな〟と、内部の下部メンバーたちを言いくるめよう、ということなのである。

だから、この人物は、黒田の言葉を引用するだけなのである。〝ここに書いてある〟というわけなのである。黒田のその展開を自分自身がどのようにうけとめ理解したのかという文章も、黒田がその言葉をどのようなものとして展開したのかということを自分自身がつかみとる文章も、そういうものは一切ないし、彼はそういう理論的作業はできない。ただ引用文を提示するだけなのである。

黒田の言葉は、この人物にとってはただ、自分がその陰に身を隠すだけの衝立なのである。

黒田のその言葉とは、「パレスチナ国家独立」「イスラミック・インター‐ナショナリズム」「アメリカの属国」である。

これらの諸規定にかんしては、われわれは組織として反省しのりこえていくべきものなのである。

この人物には、黒田信奉者としての信心深さがあるだけであって、われわれが組織としておかした過誤や誤謬を組織として反省しその克服をはかるという立場はない。たとえその過誤や誤謬が同志黒田寛一の提起にもとづくものであったとしても、それを組織として組織的に反省しのりこえていかなければならない、ということには何ら変わりはない。自分たちの組織としての実践や理論的追求にはらまれていた欠陥や誤りに気づきその根拠をえぐりだし、それを組織的に突破していくという立場こそが、同志黒田寛一がハンガリー動乱を主体的にうけとめて確立し終生おのれ自身につらぬいた革命的マルクス主義の立場なのである。われわれは現実変革的な否定的立場にたち、この立場を、――対象的現実の変革と同時に、――わが反スターリン主義組織の変革と組織成員としてのおのれ自身の変革につらぬくのでなければならない。

このような自己否定的な立場を投げ捨てた自分たちを正当化するために、黒田無謬神話を捏造し同志黒田寛一を神として神棚に祭りあげたのが、アピール文筆者らの「革マル派」現指導部なのである。

二〇二一年七月九日

〔47〕黒田寛一の内面に迫らなければならない

「海外へのアピール」文を執筆した「革マル派」官僚は、パレスチナ問題にかんして次のように書いている。

「われわれは、」「一貫して「全世界のイスラム人民よ、パレスチナ国家独立をめざして、イスラミック・インターナショナリズムにもとづく闘争を組織せよ!」(黒田寛一『マルクスルネッサンス』所収「反戦闘争の現在的環」)という呼びかけを発してきた。この呼びかけを、……発しつつ、……。」と。

「パレスチナ国家独立をめざして」という指針にかんして、この引用文以外には何もない。地の文では何ごとをも語ってはいない。筆者は、自分の見解をのべることなく、黒田の本からの引用をもって自己の見解表明にとって替えたのである。黒田の書いた言葉を衝立にしてその陰に身を隠したのである。ズルイ!

最近、「解放」紙上で「ガザ空爆弾劾」の指針の展開のなかに「パレスチナ国家独立をめざして」という記載があったのにたいして、私が「これではアメリカの「イスラエル国家とパレスチナ国家との二国家併存」案と同じではないか」とこのブログで批判したことが、「革マル派」現指導部には相当こたえたと見える。彼らは、私の批判をはねのけるかたちでの、「パレスチナ国家独立」を理論的に基礎づける展開をなしえないままなのである。彼らはついに耐えきれなくなって、黒田の言葉の陰に自分たちの身を隠したのである。

このアピール文は非常に考えぬかれたものである。この文章の展開の仕方は非常によくできている。自分たちが理論的に展開できないところに、黒田の本からの引用文をうま―く嵌めこんでいるのである。読んでいくと引っかかることなくすう―っと読み過ごしていくようにうまく仕組んであるのである。

筆者は、ここに嵌めこむのに都合のいい黒田の言葉を必死で探したのであろう。あるいは、もしかすると、私や探究派から批判されたら内部がためのためにこれをだそう、とすでに探しだしてあったのかもしれない。

とはいえしかし、黒田のこの文言を引用したことは、「革マル派」現指導部にとっては諸刃の剣であった。「イスラミック・インター - ナショナリズム」については、彼らはお蔵入りさせたいと考えていた、とおもわれるからである。この規定については、彼らもまた、あまりにも非現実的だ、と考えたのであろう、とおもわれるからである。この用語は、「解放」紙上にはここ何年も登場していなかったからである。

現代のムスリムたちが希求する「ウンマ共同体」は、彼らの信仰する教義が成立した七世紀のアラブの部族社会を物質的基礎とするものであって、その教義には当然にも、労働力商品の担い手にまで疎外された存在たるプロレタリアは登場しない。そのようなものである「ウンマ共同体」の希求をいくら「イスラミック・インター - ナショナリズム」と意義づけしたところで、イスラム人民にプロレタリアとしての自覚をうながし、彼らを階級的に組織化することはできないのであり、アッラーに帰依する実体をプロレタリア・インターナショナリズムの立場にたつ主体へと高めることは決してできないのである。「イスラミック・インター - ナショナリズム」は、イスラム人民への、その外側からの期待をこめた意味付与であったといわなければならない。

同志黒田がこのような規定を創造しイスラム人民に期待する姿勢をしめしたのは、彼が日本労働運動の帝国主義的再編の完成に絶望し、この現実を打開する展望を見いだしえなかったことにもとづく、と私は今日的に考える。一九八二年初頭に、〇〇戦線における外注化＝労働組合組織破壊攻撃と、これに労働組合が譲歩した方針をとらざるをえないという事態に直面した同志黒田寛一の苦悩を感じとりその打開の道を探ろうとしはしたけれども、一九八〇年代と九〇年代にわたって苦悶しつづけた彼の内面をつかみとり・ともにそれを打開する組織的追求をなしえなかった私自身を省察し自己批判する。この自己批判を現在的に貫徹し考察した内容は、『コロナ危機、これとどう闘うか』のIIに、私は展開した。これに主体的に対決していただきたい。

「パレスチナ国家独立」という指針について再度ふれるならば、パレスチナにおいては自治政府というブルジョア政府が成立しているのであるからして、パレスチナが国際法上独立国家として承認されたとしても、この現存政府が独立国家の政府としてあつかわれるようになるだけであって、パレスチナの社会は、したがってここにおける階級的な対立は、何ら変化しないのである。このようなものがその内実をなす「パレスチナ国家独立」は、パレスチナ問題にかんする革命的プロレタリアートの指針たりえないのである。

「革マル派」現指導部は、このアピール文においても、イスラエルのプロレタリアートに、「自国政府のガザ空爆を弾劾せよ！　アラブおよび全世界のプロレタリアートと連帯してたたかおう！」と呼びかけることはなかった。私に批判されて、このような呼びかけを発するならば、自分たちの醜い姿がさらけだされるとでも思ったのであろうか。彼らは、プロレタリア・インターナショナリズムの立場を放棄するという態度を、あくまでも堅持したのである。

総じて、このアピール文の筆者は、黒田の言葉を衝立にしてその陰に自分たちの身を隠す、というように文章を仕組むことに腐心したのである。

二〇二一年七月一一日

〈48〉「鎖で縛られた日本」規定の正当化のために苦心惨憺

「海外へのアピール」文の筆者は次のように書いている。

「同志黒田は「……軍事同盟を結んでいる独立国が同時に『アメリカの属国』とならざるをえない。これが、今回の小泉政権の参戦の意志としてあらわれている」（黒田寛一『ブッシュの戦争』四〇頁）と喝破したのであった。日米軍事同盟という鎖によって縛られている「アメリカの属国」日本の国家権力者どもは、「主」と運命を共にする以外に生き残る道がないのだ。」と。

この筆者と官僚の面々は、黒田寛一の本のなかから「アメリカの属国」という言葉は見つけだすことはできたのだけれども、「日米安保の鎖によって縛られている」という句は探しだすことができなかったのだと思われる。そこで、この御仁は、こっそりと地の文で、「日米軍事同盟という鎖によって縛られている」という句をおぎない、あたかもその言葉もまた黒田の文章のなかにあったかのように装ったのである。彼らの慣用句は「日米安保の鎖」なのであるが、引用文中の黒田の「軍事同盟」という語にあわせて、それを「日米軍事同盟という鎖」という表現に改めるという念の入れようで、である。涙ぐましい気の使いようであり、努力である。

だが、黒田自身が「アメリカの属国」というようにカギカッコを付して書いているように、「属国」という用語は、マルクス主義の概念ではない。それは俗語なのである。同志黒田は、『社会の弁証法』でも『現代における平和と革命』でもこの語を使っていないのは当然のこととして、このときまではこの言葉を使ったことはなかったであろう。「属国」というのはそのような用語なのである。そんな用語を、後生大事にいつまでも何度も何度も機関紙上に登場させておくことはない。おまけに、黒田の意をくんだかのように見せかけて自分たちが発案したところの「日米軍事同盟という鎖によって縛られている」という妙ちくりんな句をも正当化し護持することを宣言するのは、未来永劫、自分たちで自分たち自身を誤謬の鎖で縛る、というものではないだろうか。

同志黒田がこのような語を使ったのは、日本労働運動の帝国主義的再編の完成以降に、彼が労働者たちのプロレタリア的変革と組織化に困難さを感じていたことにもとづく、といわなければならない。労働者たちに反米感情をわきたたせてでも彼らの決起をうながさなければならない、という意識に、同志黒田は駆られたのだ、と私は今日的に考えるのである。

右翼組合主義的偏向も賃プロ魂注入主義という偏向も、同志黒田寛一を先頭とするわれわれ革マル派組織指導部の他在である、と私は考える。このような省察に立脚して、私は、革マル派組織の組織としての労働運動への組織的とりくみにおけるさまざまな偏向をその根底からのりこえるための理論的作業とイデオロギー的＝組織的闘いをおしすすめてきた。わが探究派の結成とその組織的強化は、その組織的結晶である。

二〇二一年七月一三日

〔49〕 弥縫の破綻の極致――〈日米安保破棄〉＝「鎖」の切断＝日本の自立を願う

「海外へのアピール」文を書いた「革マル派」官僚の言辞は、自己正当化のための弥縫の破綻の極致というべきものである。

「日米軍事同盟という鎖によって縛られている「アメリカの属国」日本」という常套句を正当化するために彼がもちだした表現は、「アメリカ帝国主義への政治的・軍事的および経済的従属」であった。この句は、黒田寛一が『現代における平和と革命』の第一章でもちいた表現と似せたものである。この人物がこの句を書いたその意図は、若いころにこの第一章を熱心に学習したオールド・ボルシェビキ（＝「革マル派」のロートル・メンバー）たちにたいして、自分たち指導部の言う「属国」は、『平革』での「従属」と同じ意味なんだ、と暗に言いくるめることにあった、といってよい。

だが、『平革』は一九五九年に出版された本なのである。二一世紀現代における日米関係の分析に、六〇年以上も前の黒田の規定の言葉をおうむ返しにする、というのは、神のお告げを唱和するアナクロニズムである。かつて日米が敵としたソ連は崩壊し、封じ込めの対象とした中国は国家資本主義へと変貌をとげているのであり、日本帝国主義はアメリカ帝国主義と経済的利害を相対的に異にして、今日の中国を商品および資本の輸出市場として、また諸資源や部品の調達先としてこの国に取り入ることを狙っているのである。このことの分析を「アメリカ帝国主義への政治的・軍事的および経済的な従属」でごまかせると思うのは、そう思う者が神のしもべの国に棲んでいることの証左なのである。

さらには、この人物は、「「安保の鎖」を断ち切る〈日米安保破棄〉をめざして」と言う。この人物ら「革マル派」現指導部の言う「安保の鎖」とは、アメリカ帝国主義が日本帝国主義を縛っている鎖であった。その「安保の鎖」を断ち切るということは、日本帝国主義が「アメリカの属国」であることから解き放たれ名実ともに自立することを意味する。日本帝国主義の自立を願っているのが、そのために〈日米安保破棄〉をめざしているのが、彼ら「革マル派」現指導部なのである。彼らがみずから語っているのが、これなのである。

二〇二一年七月一四日

〈50〉　こんどはあまり文章を書いたことがないメンバー

「解放」最新号（第二六七七号二〇二一年七月一九日付）のトップ論文を書いたメンバーは、あまり文章を書いたことのない人物のようだ。もちろん、従来からのメンバーが、自分の頭を衰弱させ委縮させただけなのかもしれないが。

はじめの方に次のような文がある。

「いま現代世界の構造に巨大な変化が生じ、〈米中冷戦〉が一気に熾烈化している。」

変な文である。もったいぶった文である。

この文は、「生じ、」という言葉でもって、前半から後半につながっているものであり、二つの事態を過程的に記述した文をなす。そうすると、〈米中冷戦〉が熾烈化するよりも時間的に以前に、巨大な変化が生じたということになる。この巨大な変化とはいったい何のことだろうか。どこにも書かれていない。

また、「〈米中冷戦〉」というのは、山パーレンが付されていることにしめされるように、彼らによる現実の規定である。規定が一気に熾烈化している、というのはおかしげな話である。山パーレンを付さずに、米中の角逐が一気に熾烈化している、と書くのなら、わかるのだが。

この人物は、大げさな言葉を並べる、というように政治的に頭がうごいているだけなのである。

最高指導部の面々が政治動物になってしまうと、——この最高指導部とたたかわないかぎりは、——その下のメンバーも政治動物になってしまう。

この筆者は、「顔面蒼白になった菅は」とか「首相の座にしがみつく菅は」とかというように、「菅」の前に修飾語をくっつけて、何ごとかを言っているかのように見せかけているのである。

悲惨だ。

二〇二一年七月一五日

〈51〉ついに一面トップ論文、インターネット上に掲載なし

「解放」最新号（第二六七八号二〇二一年七月二六日付）の一面トップ論文がインターネット上に掲載されていない。掲載されているのは、「東京五輪の開催強行弾劾！　菅ネオファシズム政権打倒！」という見出しだけ。あとは闘争報告のみ。

われわれの批判を怖れて、ついに、一面トップ論文をインターネット上に掲載するのをやめたのか。そうしたい「革マル派」官僚の気持ちもわかる。

それとも、もしかしたら、一面トップ論文を書くことができなかったのだろうか。論文執筆がパンクしてしまったのだろうか。さらには、もしかしたら、論文執筆担当者を決めることさえもができなかったのだろうか。

紙の現物の「解放」を見ても、上記のスローガンを四角で囲んだものしか存在しないのかもしれない。

原稿用紙数枚の声明文的文章なら、すぐにでも書けるだろうに。

みっともない。

末期症状だ。

二〇二一年七月二二日

〈52〉○人組の支配する組織のチビ官の嘆き

もしかしたら、という私の推測が当たった。

「革マル派」機関紙「解放」最新号の紙の新聞を見ると、一面にはトップ論文は存在しなかった。スローガンが四角の線で囲んで掲げられているだけであった。あとは闘争報告。

そうすると、「革マル派公式ホームページ」の「解放」最新号を紹介するその冒頭のページはいったい何であったのか。

ふたつのスローガンが、トップ論文のタイトルという体裁で大書きして並べられているのである。実際どうなっているのか見ようという方は、「革マル派　解放」と打って—検索—とやれば当該のページが出てくるので見ていただきたい。それは、どうみても論文のタイトルである。

公式ホームページのこのページを更新した担当者と彼の属する党機関のメンバーたちは、見栄っ張りなのであろう。トップ論文がないのはムサイ、これはみっともない、そうだ、四角で囲んであるスローガンをトップ論文のタイトルに見せかけよう、と額を寄せ合って相談したにちがいない。いや、もしかしたら、もうなれっこになっていて、自然体でそうしたのかもしれない。あるいはまた、上の方から、そうせよ、と指示があったのかもしれない。

俺たちは何でこんな取り繕いをやらなければならないんだろう、と彼らは悲哀をかこっていることであろう。

党の機関のメンバーたちは、その上級の指導部のメンバーたちから、チビ官（小官僚）という蔑称で呼ばれてきた。チビ官の悲哀である。チビ官と呼ばれる俺たちが、大官僚のこんな尻ぬぐいを何でやらなければならないのか、というわけなのである。

彼らはこんな思いでいるのであろう。――

「解放」の紙面を八面から六面に減らしたのに、またトップ論文がないのかぁ。党の顔を担う俺たちは恥ずかしいよ。うちの最高指導部の中心の〇人組は、日本語の書けない人か、日本語しか書けない人で、内容がまったくないからなぁ。論文を書くメンバーを決めても、その人に内容を注入する人がいないんだよなぁ。内容を注入してもらわないで論文を書ける人はいないからなぁ。Z（全学連）官僚上がりの若い指導部メンバーは、政治主義丸出しで、格好をつける以外のことはまったくできないんだよなぁ。

こう、彼らチビ官たちは、論文を書けない自分のことは棚に上げて嘆いていることであろう。

二〇二一年七月二三日

〔53〕 流行の「党員でもある企業経営者」という句

現代中国を分析するための言葉として、「党員でもある企業経営者ども」という句が、「革マル派」官僚内で流行っているようだ。「解放」最新号のG7サミットを分析した論文に出てきた。

この句は、私が解明した規定を、「海外へのアピール」文の筆者である官僚がこっそりと猿まねしたものである。これが猿まねであるゆえんは、「党員でもある企業経営者ども」と規定されるところの中国に現存する企業経営者は資本家的経営者すなわち官僚資本家であるということについて当該の官僚が口をつぐんでいることにある。

このようにして捏造したこの句の有効性に小躍りして、「革マル派」現指導部の面々は、習近平の中国の政治支配体制を、「スターリニスト党専制支配体制」と規定することにしたようだ。これまでは、彼らは、中国の現存国家権力を「ネオ・スターリニスト官僚専制権力」と呼んできた。これからは、「党」を押しだそうというわけなのである。結党以来、中国共産党は歴史貫通的に存在するのだ、その党員は、これまでも、いまも、これからも、企業経営者であったしそうありつづけるのだ、というわけなのである。その企業が、スターリン主義政治経済体制のもとでの・国家経済計画にもとづく企業なのか、それとも、資本制政治経済構造のもとでの・国家資本という規定性をうけとることとなった企業なのか、ということを不問に付しごまかすかぎりにおいて、そのような自己欺瞞および下部組織成員欺瞞が成立するのである。

なんとこざかしいやり口であることか。「革マル派」現指導部を牛耳る○人組にふさわしい。

二〇二一年七月二四日

〔54〕今度は、すなおに闘争報告だけ

「解放」最新号（第二六七九号二〇二一年八月二日付）の一面は、闘争報告だけであり、トップ論文はなかった。インターネットの公式ホームページの紹介記事でも、「五輪反対・菅政権打倒の火柱」という闘争報告らしい見出しが大書きされており、あたかもトップ論文が存在するかのように見せかける・こざかしい弥縫工作はなされていなかった。

私の揶揄に怖れをなしたかのような「革マル派」○人組の、〝闘争報告だけでいこう〟という英断のゆえに、ホームページ作成担当のチビ官の頭を悩ませることはなかったようだ。

それにしても、組織の方針の基調を提起する「海外へのアピール」文の掲載から、論文をほとんど書いたことがないかのようなメンバーの執筆したトップ論文の掲載へ、そしてトップ論文の代わりにスローガンだけ掲載してあとは闘争報告というものへ、さらにすなおに闘争報告だけというものへ、というように、「解放」の一面は、どんどん頭を使わなくて良いものに変貌してきているのである。

今回は、全学連大会に引っ掛けて学生を全国動員し「五輪反対」という課題を掲げて闘争をやったので、

これでいける、この闘争の報告だけで格好がつく、ということなのであろう。
政治動物と化している○人組は、こんなことばかり考えているのであろう。

二〇二一年七月二九日

〔55〕夏の一号休み前の安堵

夏の一号休みの前は、毎年恒例の反戦集会報告であったので、「革マル派」○人組も安堵していることであろう。今週は、一面トップ論文を何にし誰に書かせるかということに心を痛め頭を悩ませることはなかったからだ。そして、次の号は、うれしいことに、一号休刊であるからだ。

いまは、この一号休刊のときに、彼らは何をするのだろうか。

糸色望さんに批判されたせいなのであろうか、彼らは、「解放」最新号（第二六八〇号二〇二一年八月九日付）でも、反戦集会でも、「対中国グローバル同盟粉砕！」というスローガンを削ってしまった。「アメリカのバイデン政権は、日本との軍事同盟とイギリス・オーストラリアとのアングロサクソン同盟とリンクさせて……」というように、対象の分析として、具体的なことを書いているだけである。自分たちの実践の指針の解明そのものについてはどうしたのだろうか。

また、私によって、プロレタリア・インターナショナリズムの立場の放棄であると批判された、「イスラミック・インター‐ナショナリズム」については、反戦集会で若い基調報告者が次のようにしゃべってのりきった。

「われわれは、同志黒田を先頭として、中洋ムスリム人民と連帯し「イスラミック・インター‐ナショナリズムにもとづき、反米・反シオニズムの闘いを推進せよ！」と呼びかけたたかってきた。」と。

この若い基調報告者に、しゃべる内容を注入した〇人組は、黒田の名前を出して権威づけをし、「呼びかけたたかってきた」というように過去のことがらにする、というかたちにおいてのりきりをはかったのである。

この反戦集会も、自己保身とのりきりに満ち満ちたものであった。

二〇二一年八月五日

〈56〉 アフガニスタンでタリバン勝利

アフガニスタンにおいて、タリバンは大統領府を占領し勝利した。他方、大統領ガニは国外に逃亡し、ガニ政権は崩壊した。

アメリカ大統領バイデンはいまだ沈黙を守っている。国務長官ブリンケンは「アフガニスタン政権の崩壊はおもったよりも早かった」としゃべった。

このタリバンの勝利は、反イスラム・テロの排外主義を内外に貫徹してきたアメリカ帝国主義の世界支配戦略の破産にほかならない。だが、アメリカを中心とする帝国主義諸国と中露の国家資本主義国とが抗争する現代世界をその根底からくつがえすプロレタリアートの階級的な力を、われわれはなお創造しえてはいない。

われわれは、タリバンというイスラム勢力の勝利を、わが反スターリン主義運動の組織的力の脆弱さの表出としてうけとめ、反スターリン主義運動を再創造するためによりいっそう強靭にイデオロギー的＝組織的にたたかいぬく決意である。

二〇二一年八月一六日

〈57〉 タリバンのタの字もなかった！

「革マル派」機関紙「解放」の最新号（第二六八一－二六八二号二〇二一年八月二三日付）には、タリバンのタの字も、アフガニスタンのアの字もない。短いものを書いてつっこむ余裕はあったろうに、である。タリバンの勝利に、「革マル派」〇人組はどういう態度をとるのであろうか。イスラム急進主義勢力がアメリカ帝国主義をやっつけた、画歴史的意義をもつ、というようにもろ手を挙げて喝采を送るのだろうか。イスラミック・インターｰナショナリズムの立場にたってさらに進撃せよ、と尻押しするつもりなのであろうか。

それとも、これでは浮いてしまう、とおもい、これまでの態度を少しばかり変えて、女性の権利を認めよ、というように、ブルジョア民主主義の立場にたってタリバンに説教を垂れるつもりなのであろうか。

二〇二一年八月一八日

〔58〕タリバンについての付記があった。——〇人組の名誉のために訂正

紙に印刷された「解放」最新号の全部を見ると、八面の末尾に、タリバンについての付記があった。「革マル派」〇人組の名誉のために、「タリバンのタの字もなかった」と書いた前回の記事を訂正する。

その全文を引用すると、それは次のようなものである。

「〔付記〕八月十六日早朝（日本時間）、タリバンは、アフガニスタンの首都カブールを陥落させた。大統領であったガニは国外に脱出した。タリバンは「アフガニスタン・イスラム首長国」の樹立を宣言した。」

これがすべてである。

ここには、ブルジョア・マスコミによって事実として報道されたことの記述以外には何もない。生起したこの事態を自分たちはどのように判断するのかという、この価値判断が何もないのである。「タリバン

は勝利したのである。」という程度の判断さえもがなされていない。

紙面を大きくとった広告は別としても、この付記の直前には、六行をとっての小さな・本の広告が紙面の穴を埋めるために載せられているのである。この六行分の文章を書けば、——紙面を組み直すことなしに——自分たちの判断をそれなりに展開することができたのである。

○人組は判断停止なのである。

○人組よ！「イスラミック・インター - ナショナリズム」を旗印にしてイスラム急進主義勢力を尻押ししてきた自分たちをどうするのか。

二〇二一年八月二〇日

〈59〉「米中の激突」の構図への逃走

アフガニスタンにおいてタリバンが権力を掌握したという事態に直面したとき、共産主義をめざす者であるならば、プロレタリアートの自己解放をめざすものである者であるならば、この事態はアフガニスタンの労働者・人民にとって何を意味するのか、アフガニスタンの労働者・人民がみずからの解放を実現するためにはどうすればいいのか、というように頭をめぐらせるものである。「革マル派」指導部を牛耳る○人組は、このように考えることとはまったく無縁なのである。

「解放」最新号（第二六八三号二〇二一年八月三〇日付）のトップ論文「カブール陥落――アメリカ帝国主義の敗走」に、ブル新（ブルジョア新聞）記事から得た事実と大仰な修飾語以外の分析を見つけだすとすれば、それは次のものでしかない。

「まさにタリバンによる権力奪取こそは、中・露両権力者の政治的・経済的支援にささえられて可能になったものにほかならない。」「もって米・中（露）の冷戦的激突を一気に激烈化させるにちがいない。」

まさに〇人組は、中・露両権力者のタリバンへの支援ということがらの提示を蝶番（ちょうつがい）にして、タリバンによる権力奪取という問題を米中の対立という問題にずらし、「米中の激突」という構図に逃走したのである。

これは、彼らが、タリバンがアフガニスタンの権力を奪取したという事態を、反スターリン主義者としてどのようにうけとめ考えるのか、二一世紀現代世界に実存する革命的プロレタリアートとしてこの現実にどのように対決しおのれの態度を思想的に明らかにするのか、というすぐれて実践的な問題から身をそらせ、この問題に主体的にたちむかうことを回避したものにほかならない。

彼らは、あたかも自転車を倒すまいと足を動かすように、ただ組織を動かすために、いまや米中の激突だ、戦争的危機だ、反戦闘争をやれ、と組織成員たちの尻を叩くことだけを考えているのである。

それにしても、このトップ論文の筆者は気弱であった。「米中の激突」の「激突」に、「冷戦的」という修飾語をつけてしまった。「冷戦的激突」としてしまったのでは、あまり大したことはない、ということになってしまう。

タリバンの権力奪取の問題にたちむかうことから逃げるために、「米中の激突」を叫んでいるのだ、ということを、この筆者は自己暴露してしまったのである。アフガニスタンの労働者・人民の自己解放をどのようにして実現するのか、イスラームの宗教的自己疎外におちいっている労働者・人民をそこからどのようにして脱却させプロレタリア的に組織化するのか、ということを、まさにアフガニスタンの労働者・人民の立場にわが身をうつしいれてみずからが主体的に考えることを回避するために、「米中の激突」という構図にタリバンの問題をはめこんだのだ、ということを、彼は、はしなくも露わにしてしまったのである。〇人組は、反スターリン主義のかすかな残りの一片までをも捨て去った。プロレタリアートの自己解放の、マルクスの精神と理論を足蹴にした。

二〇二一年八月二六日

〈60〉ハイター原液を頭からブッかぶった〇人組——脱色!!

キッチンハイターもトイレハイターもブリーチもそしてカビキラーも、すべて成分はまったく同じ、次亜塩素酸ナトリウムである。給食業のベテランの調理師は、ハイターやブリーチを「ジア」と呼ぶ。ジアは強力である。ジアの原液に、色物の衣類を入れると見る見るうちに脱色されてしまう。

「革マル派」指導部を牛耳る〇人組の面々は、ハイターかブリーチの原液を頭からブッかぶったのであろう。彼らは、脱色スターリニストならぬ脱色反スターリン主義者に成り果ててしまった。こう言えば言語矛盾である。彼らは、脱色し只の人になったのである。脱イデオロギー＝脱思想の輩と成り果ててしまったのである。

彼らは、少し前までは、ムスリム人民を尻押しすることに闘いの展望を見いだしていた。しかし、いまや、そういうことにも無関心となった。闘いの展望というようなことを考えなくなったのである。ましてや、タリバンが権力をにぎったアフガニスタンにおいて、その地の労働者・人民にアッラーへの帰依からの脱却をどのようにして促し、彼らをプロレタリア的に組織化していくのか、という問題意識は、彼らの頭の片隅にもない。そのような色は、すべてみずから漂白した。

いまの彼らには、ムスリム人民への熱烈な支持さえもがない。そのようなものさえもが脱色された。たとえ彼らが「日米安保の鎖」というようなことを語ったとしても、それは過去とのつじつま合わせであって、反米民族主義的イデオロギーさえもが脱色された。闘いの展望を見いだす意欲がないのだから、何らのイデオロギーもいらないのである。

マルクスの、プロレタリアートの自己解放の理論も、彼らには関係がない。

黒田寛一の思想も黒田哲学も、彼らには関係がない。彼らに必要なのは、神としての黒田の偶像だけである。だから、「組織哲学」という語も消え去って久しい。

彼らが欲するのは、「革マル派」という名の組織が自己崩壊しないように、組織を動かしておくためのシンボルだけなのである。このシンボルが「米中の激突」「戦争的危機」なのである。このシンボルには色はない。無思想＝脱イデオロギーのそれなのである。

ハイターやブリーチには強力な脱色作用だけではなく強力な殺菌作用もある。彼ら〇人組はゾンビと化した。

二〇二一年八月二六日

〈61〉プロレタリア・インターナショナリズムも脱色

「革マル派」〇人組には、自分たちが黒田寛一の言葉として「イスラミック・インター - ナショナリズム」という語を引用しようが引用しまいが、そのイデオロギー的中身は脱色されておりその縁取りしか残っていないので、まったく何も気にならないし、関係がない。

彼ら〇人組には、イスラエルのプロレタリアートに自国政府のガザ空爆に反対して決起しよう、と呼びかけなくても、彼らの言うプロレタリア・インターナショナリズムは脱色されその跡形しか残っていないので、そんなことはまったく気にもならないし、関係がないのである。

また、自分たちの言う言葉のイデオロギー的中身を脱色しておけば、われわれから何と批判されようとも、気にしなくて済む、というわけなのである。自分たちが何を言おうと、その言葉のイデオロギー的中身はないので、何も批判される筋合いはない、とカエルのツラのようにしていられるからである。

彼らにとって困るのは、下部の組織成員や全学連の活動家が、動くことがなくなって分散化してしまうことだけである。こういうことから、動ける方針が必要となるのであり、米中のあいだが一触即発の危機であるかのように描きあげ、「たたかえ！」と号令することになるのである。

二〇二一年八月二七日

〈62〉「中国ネオ・スターリン主義党」分析も脱色

同じ「解放」最新号（第二六八三号）の四面で「革マル派」〇人組指揮下の者が中国共産党の分析をやっているのであるが、この筆者の頭も脱色されている。

この筆者は、習近平指導部にかんして、「中華ナショナリズムの煽りたて」ということしか言っていない。これでは、中国共産党は中国民族主義の党であり、中国ブルジョアジーの党だ、ということにしかならないのであるが、そんなことは筆者も編集局も「革マル派」中央もへっちゃらなのである。そういうことを気にするほどの感覚は、彼らにはない。

「中国共産党のネオ・スターリン主義的本質」と言うかぎりは、この党のイデオロギー的支柱がネオ形態のスターリン主義である、ということを言わなければならないのであるが、そうしなければならないのだ、と感じる感性も品性も思惟力も、彼らにはないのである。

彼らの脳ミソと身体そのもののこのような脱色はずっとまえからそうだったので、いま改めてとりたて言うほどのことはない。

今日では、彼らには、〈反スターリン主義〉戦略を基礎づけるためには、中国の党と国家をいまなおスターリン主義だ、ということにしておかなければならない、という促迫感と道徳心はない。彼らが「中国ネオ・スターリニスト党」という言葉を使うのは、ひとえに惰性でしかないのである。

彼らにとって喫緊の課題は、自分たちの組織を倒れないように動かしておくために、「高まる世界大的な戦争勃発の危機」を煽りてることなのである。そのためには、中国が「中華ナショナリズムを煽りたてて」戦争にうってでようとしている、というように自分たちが下部にむかって煽りたてておかなければならない、ということなのである。

二〇二一年八月二九日

〔63〕 脱色剤＝次亜塩素酸ナトリウム余談

私は「ハイターもブリーチもカビキラーも成分は同じだよ」と言ったのだが、次亜塩素酸ナトリウムを「ジア」と呼ぶベテランの調理師は「ハイターとブリーチは同じだが、カビキラーは成分が違う」と言って頑として譲らなかった。老人ホームの調理場のベテランといえども、自己の調理師稼業の狭い経験を絶対化しているようであった。

これまた私の狭い経験上の感触と頼りない知識からすれば、両者は同じ成分とおもわれた。

あるところで、私は、風呂場のタイルとタイルのあいだについた黒カビをとるために、カビキラーを切らしたときにはハイターの原液を使い古しの歯ブラシにつけて使ったのだが、効果はまったく同じであった。成分書きを見ると、前者は「次亜塩素酸塩」となっており、後者は「次亜塩素酸ナトリウム」となっていた。両者ともに市販されているところの日常的に使うものだから、前者の「塩」も特殊なものではなく、ナトリウムが結合されている「塩」であり、――すなわち、カルシウムとかマグネシウムとかが結合されている「塩」ではなく、――まったく同じ成分とおもわれた。カビキラーよりもハイターの方が圧倒的に安いとおもわれたので、それ以来、霧吹き状になっているカビキラーの容器にハイターの原液を入れて使った。老人ホームの調理場で働くようになって、ハイターよりもさらに安いブリーチというものがあることを知った。それゆえ、それ以来、自分のアパートでは、殺菌・漂白のためには、トイレ用よりも名前からうけとる雰囲気がいいので、「キッチンブリーチ」を、何をするにも使っている。用途別にいろいろ買いそろえる必要はない。

取り付く島もなかったので、ベテランにはこういう説明はしなかった。この厨房ではカビキラーは使っていなかったし、どんな商品を買うのかは私の権限の埒外であった。

ノロウイルスにはアルコールは効かない、ということになっており、次亜塩素酸ナトリウムを規定のパーセントに薄めて使った。食べ物を運ぶワゴンなどの消毒のためには、夏はアルコールを吹き付けるので良かったが、冬になると、その水溶液で拭き、さらに水で拭け、と命令が下り大変となった。

新型コロナウイルスにはアルコールが有効だ、ということになった。一時、次亜塩素酸ナトリウムではないが、塩素酸水が有効かどうか、と騒ぎになった。

アルコールのばあいには、手・指や食品の消毒には、メチルではなくエチルアルコールを使うので、「革マル派」の指導部の面々がこのアルコールを頭からドバッとブッかぶっても、何ら問題はない。たとえ彼らが、このアルコールを自分の体の外側にぶっかけるのではなく、自分の胃のなかに飲みこんでも何ら問題はない。酔っぱらうだけである。たとえ浴びるように飲んでも大したことはない。アルコールは罪が軽い。酒を飲みながら立派な原稿を書く、という豪傑もいるほどである。これは過去の話となった。

次亜塩素酸ナトリウム溶液はダメである。これを浴びると脱色してしまう。

おのれの思想の脱色、自己のイデオロギーの脱色は罪が重い。

二〇二一年八月三〇日

〔64〕首相菅の最期のあがき

首相・菅義偉が権力の座にしがみつく最期のあがきを開始した。二階俊博を自民党幹事長の座から切って落とし、石破茂を抱きこんで内閣を改造し、自民党総裁選の前に――総裁選を先送りして――衆議院の解散にうってでる、という策動が、それである。これには、総裁選への出馬を表明している岸田文雄と、「菅ではたたかえない」と悲鳴をあげている若手議員の反発が必至である。

これは、新型コロナウイルスの感染拡大をくいとめることのできない現政権の瓦解と政治エリートどもの大混乱である。

だが、決定的な問題は、国家権力者の座をめぐって抗争する支配階級を打倒し資本制生産関係をその根底から転覆するために、われわれはいまだなお日本のプロレタリアートを階級的に組織しえていないことである。

いや、日本労働運動を左翼的にのりこえていく展望をなくしプロレタリアートに不信を抱くまでに変質し腐敗している「革マル派」現指導部を打倒し日本反スターリン主義運動を再創造していくためのイデオロギー的＝組織的闘いの巨歩を、われわれはふみだしたにすぎないのである。

われわれは、この現実を突破するために全力を傾注するのでなければならない。

二〇二一年九月一日

〔65〕 菅義偉の首相職しがみつき策はとん挫

菅首相は、九月一日午前に、九月中旬衆議院解散＝自民党総裁選先送りはしない、と記者団に答え、二階俊博に伝えたとされる自己の目論見を否定した。彼の首相職しがみつきの策略はとん挫した。

菅義偉の策動は、自分を首相職におしあげた恩人・二階俊博を幹事長職からおろし、下村博文を総裁選に出馬させないようにしたうえで政調会長職から切って捨てる、とともに、一定の閣僚を入れ替える、というにとどまる見込みとなった。

権力亡者は、政治技術だけを駆使する。

反スターリン主義前衛党を自称する「革マル派」の指導部たらんとする者たちが、これと似たり寄ったりのことをやっていても仕方がないのだが。

二〇二一年九月一日

〔66〕テレビのニュース番組の水準

「解放」最新号（第二六八四号二〇二一年九月六日付）のトップ論文は、コロナウイルスの新規感染者数をいろいろとあげつらっているだけである。テレビのニュース番組の水準だ。

そのうえで、巷の暴力団のチンピラでもあるかのように、「日本全土を感染爆発の嵐に叩きこんだのは、菅よ、お前ではないか！」と、打倒すべき相手にむかって凄んで見せているのである。

こんなふうに引き合いに出すのは、本当のチンピラに悪いけれども、頭の弱いチンピラとは異なって反スターリン主義前衛党の指導部を自任する者であるならば、何らかの思想性・イデオロギー性をもっていてしかるべきなのである。それが、何の色もついていない虚勢というのでは、何をか言わんや、である。

二〇二一年九月二日

〔67〕「イスラミック・インター‐ナショナリズム」の怪

「解放」最新号（第二六八四号二〇二一年九月六日付）にはタリバンにかんする論文はない。書けないのであろう。

「革マル派」現指導部はこれまで「イスラーム人民はイスラミック・インター‐ナショナリズムに立脚してたたかおう」というスローガンを掲げ、このようにイスラーム人民に呼びかけ、彼らに期待を寄せ、彼らを尻押ししてきた。

ＩＳ（イスラム国）が台頭したあとは、こういうスローガンを掲げているとＩＳを支持することになってまずい、とおもったのか、「革マル派」現指導部は、口をつぐむようになった。しかし、このスローガンをおろす、という態度を表明したことはなかった。彼らは、今年の国際反戦集会の「海外へのアピール」文では、このスローガンをまた高だかと掲げた。

タリバンはイスラーム人民である。イスラム復古主義勢力と呼ぶべき人びとである。「海外へのアピール」文の立場と態度をつらぬくのであるならば、アメリカ帝国主義の侵略に勝利したタリバンに、拍手喝采をおくり、熱烈な連帯の態度を表明すべきなのである。

だが、彼らは、タリバンについては口をつぐんだ。もしも、「イスラミック・インター‐ナショナリズム」のスローガンをお蔵にしまいこむのであるならば、そのことを表明しなければならない。そのような表明はない。彼らには、革命党を自称する者としての誠実さの一片もない。こういうことの一切合切を不問に付すために、「革マル派」指導部を牛耳る〇人組は、次亜塩素酸ナトリウム溶液を頭からブッかぶったのである。

彼らが脱色してしまいたいものに次のものがある。

彼らは『新世紀』第二〇一号の逆瀬川論文で「イスラミック・インター‐ナショナリズム」のスローガンを次のように基礎づけていたのである。

「われわれはパレスチナであれ、アフガニスタンであれ、彼の地において、イスラームを生活信条とし・それをバネにしてアメリカ帝国主義やイスラエル・シオニスト国家の暴虐とたたかっている労働者民衆といかにして連帯しうるのか？　そしていかにして連帯してたたかうべきなのか？　というように問題を立てなければならない。」「そして彼らムスリム人民と連帯してたたかうそのただなかにおいて、またそれをつうじて、われわれは彼らに、イスラームを思想的根拠にした闘いそれ自身に孕まれている限界や過誤をのりこえていくことを促すべきなのだ。」

ここまではわかる。問題は、その限界や過誤をのりこえていくことをどのように促すのかということである。それを見よう。

「彼らが信奉しているイスラームにおいては、「アッラーの前では万人が平等」とされている。国境線とか民族国家とかの枠組みは欧米の帝国主義が後から引いたものである。ムスリムにとってそれはあくまでも人為的に押しつけられた国境線であって、万人が平等なウンマ共同体を欧米帝国主義の勝手な都合で引き裂いたものでしかない。」「「アッラーの前での平等」というこの思想のゆえに、イスラーム国家にもとづくムスリム民衆の闘争は根本的には「国境を越える」という性格をもっている。」この思想はプロレタリア・インターナショナリズムとは質を異にするが、ムスリムのたたかい自体が国境を越えるという意味をもっている。だから「イスラミック・インター・ナショナリズム」なのだ、と。

この展開はいったい何なのだろう。ムスリム人民に、イスラームを思想的根拠とした闘いに孕まれている限界や過誤をのりこえていくことを促す言葉や論述は何もない。それを促すという立場や姿勢さえもが一切ない。この展開にあるのは、「アッラーの前での平等」や「ウンマ共同体」の希求がいいものだとする、それへの賛美だけである。「国境を越える」ものだとする、その解釈だけである。

「国境を越える」というだけなら、キリスト教信者の行動もまたそうである。

「アッラーの前での平等」の信条のゆえにムスリムの闘いは「国境を超える」のだ、と解釈し、それに望みを託すのは、錯誤であり錯乱でしかない。キリスト教であれイスラームであれ唯一の神を信奉する人びとは、この神に帰依する自分たちによる世界の支配をうちたてるために武器をとり国境を越えるのである。

かつてスペインやポルトガルはキリスト教をひろめるという信奉のもとに国境を越えて世界各地を侵略しインカ帝国を滅ぼしたのである。欧米の帝国主義諸列強は、キリスト教で自国の労働者・人民をイデオロギー的に武装して植民地争奪の帝国主義戦争を遂行したのである。

これとは異なって、現代のアフガニスタンやイラクの労働者・人民の闘いは、帝国主義の侵略に反撃する闘いである、ということにその特質があるのである。だからこそ、全世界の労働者・人民は彼らを支援し連帯して起ちあがったのである。彼らの信じている宗教が何かいいものであるからでは決してない。イスラームが他の宗教に勝っていると考えるのは、逆瀬川の錯誤である。この連帯の闘いにわれわれがつらぬくべきなのは、あくまでも、プロレタリア・インターナショナリズムなのである。

くりかえして言おう。

「対テロ戦争」と称してのアメリカ帝国主義の侵略にたいして、アフガニスタンやイラクの労働者・人民は、アッラーを信じて不屈の闘いを展開したのである。これは、帝国主義の侵略をはねかえす闘いである。彼らが「ウンマ共同体」の創造を信じていたことに何らかの革命性があるのではない。われわれは、彼らと連帯してたたかい、その過程において彼らにアッラーへの帰依から脱却することをうながすためにイデオロギー的＝組織的にたたかったのである。彼らのアッラーへの帰依に、それが「イスラミック・インター・ナショナリズム」である、などという意味を付与するのは、錯誤であり誤謬である。そのような意味を付与するのは、彼らに宗教的自己疎外からの脱却を促すことを放棄し、彼らの闘いをただ尻押しするものである。逆瀬川論文の筆者のこの展開は、イスラームの教えを、「ウンマ共同体」の創造の信仰を、美化し賛美し、この宗教を賛美するイデオロギーによって、ムスリムの闘いを自分たちが尻押しすることを理論的に基礎づけ正当化したものである。

今日的に捉えかえすならば、「イスラミック・インター・ナショナリズム」の提唱者がこのような意味付与におちいったのは、日本労働運動の帝国主義的再編の完成に絶望し、プロレタリアートを階級的に組織する展望にくもるものを抱いたからなのである。私は、「イスラミック・インター・ナショナリズム」の提唱がこのようなものであることを自覚することができなかった。痛苦である。

われわれは、当時「イスラミック・インター・ナショナリズム」のスローガンを組織として掲げたことを明確に自己批判し断絶をつくりださなければならない。

このような思想的格闘を放棄し回避したのが、今日「革マル派」指導部となっている者たちなのである。○人組は、このようなことからきれいさっぱり逃れるために、自分たちの頭と体を、つまり思惟と感性を、脱色したのである。

二〇二一年九月二日

〔68〕　菅義偉と同様に○人組は自分の首を切ったらどうだ！

菅義偉は自民党総裁選に立候補しないことを表明した。政治技術を駆使し政治的策動をくりかえしてきた菅の万策も尽きた。この権力者は自分の首を切った。

脱色して政治技術を駆使するだけの政治動物と化した「革マル派」○人組もまた自分で自分の首を切ったらどうだ！

二〇二一年九月三日

〔69〕 気弱におずおず

菅の自民党総裁選不出馬にかんして、〇人組指導下の「革マル派」機関紙「解放」最新号（第二六五八号二〇二一年九月一三日付）は、意味不明のわけのわからないことを書いている。

「まさに菅が政権投げだしに追いこまれたのは」「怒りの爆発に包囲されたからにほかならない。」「こうしたただなかで、わが同盟は、」「労働者・人民にたいして「菅政権を打倒せよ!」という呼びかけを断固として発してきた。」と。

ここに言う「怒りの爆発」は、誰がという主体のない怒りである。この怒りの爆発をバックグラウンドと位置づけて、自分たちは、「こうしたただなかで」こういうことをやってきた、というだけである。自分たちがこうしたことをやってきたがゆえに労働者・人民の怒りが爆発した、というような連関づけさえもがなされていない。

この原稿の執筆を指導した〇人組は、今回は、リアルさをだそうと意図したのだろうか。

安倍が辞任したときには、「解放」で、「わが同盟が安倍を打倒した」と書いた。これではあまりにも嘘っぽく神がかりじみている、と〇人組は実感したのであろうか。

自分たち自身を脱色した〇人組は、自分たちはがんばってきたんだ、ということだけは押しだしておきたい、という一心であるようだ。

あわれ！

二〇二一年九月九日

〔70〕 珍奇なスローガン

「革マル派」機関紙「解放」の最新号（第二六八六号二〇二一年九月二〇日付）のトップを飾っているのが、「英空母クイーン・エリザベスの横須賀寄港反対！」の全学連の緊急抗議行動の報告記事だ。

掲げられているスローガンが珍奇だ。

「日米グローバル同盟粉砕！」

「＜米中冷戦＞下の戦争勃発の危機を突き破るぞ！」

まず前者。これはもう、糸色望さんが完膚なきまでに批判しているものだ。

昔話を付け加えよう。――七〇年安保闘争の前夜。スローガンをどうするか、という組織論議で、どうしても「安保粉砕！」と言いたい、と言い張る早稲田大学のマル学同員（マルクス主義学生同盟員）がいた。他党派から「フランケン」と呼ばれて怖れられたメンバーだ。それで、「安保粉砕」とは、「反安保」すなわち「日米安保同盟の強化反対」という指針と「安保条約破棄」という指針とを統一した指針である、と規定しよう、と同志黒田寛一が決断した。ここに、晴れて、「安保粉砕」は理論的に基礎づけられた。

このことからすれば、日米グローバル条約などというものは存在しない。後者。こっちの方がよりいっそう珍奇。

ふつう闘争スローガンというものは、国家権力者や独占資本家どもの行動や政策やまた彼らのかけてくる攻撃に反対する、これを阻止する、という闘争主体の実践の指針をあらわすものである。ところが、「∧米中冷戦∨下の」とやったのでは、∧米中冷戦∨は、現在的状況の背景説明としてもちだされているにすぎない。アメリカ政府の行動に反対する、中国政府の行動に反対する、というものでは何らないのである。「米ソ核実験反対」というスローガンは、アメリカ政府の核実験にもソ連政府の核実験にも反対する、というものであったのである。

今日の「革マル派」指導部の掲げているスローガンの形式は、かつてのそれとは天と地の違い、雲泥の差がある。

このようになるのは、今日の「革マル派」指導部は、現実を変革するという実践的立場には立っていず、組織をもたせるために下部組織成員や活動家たちを動かす、ということだけを考えているからである。

二〇二一年九月一六日

〈71〉　〇人組よ！　海外からの批判にどう答えるのか！

「海外からのメッセージ」「ファリダバッド労働者新聞——共産主義革命（インド）」は、次のように書いている。

「友人のみなさん、われわれは、アピールの第三ページに書いてあることは、少し考え直した方がよいのではないかと思う。『全世界のイスラム人民よ、パレスチナ国家独立をめざして、イスラミック・インター・ナショナリズムにもとづく闘争を組織せよ！』という展開を。」と。（「解放」最新号＝第二六八五号、六面から引用）

これは、「イスラミック・インター・ナショナリズム」への明確な批判だ。

「革マル派」〇人組よ！　これにどう答えるのか！

二〇二一年九月一八日

〈72〉「イスラミック・インター - ナショナリズム」へのインドからの批判の全文

「イスラミック・インター - ナショナリズム」の呼号を批判したインドの「ファリダバッド労働者新聞——共産主義革命」という組織からのメッセージの——「解放」第二六八五号に掲載されているかぎりでの——全文は次のとおりである。

友人の皆さん。第五十九回国際反戦集会にむけたアピールの第一ページには、次のように書かれている。「……現代世界は世界史的な大激動のただなかにある。……世界の権力者どもは……生産を停止した。」この文章にわれわれは全面的に賛成だ。

そして、このような根本的な社会的変革を孕んだ状況だからこそ、社会的死／社会的虐殺に直面している絶望的階層のなかで、世界のヒエラルヒー的既成諸組織の指導者たちは、帰属意識を煽りたてる政治手法をとっている。こんな具合に——「世界の仏教徒は団結せよ！」「世界のキリスト教徒は団結せよ！」「世界のヒンズー教徒は団結せよ！」「世界の黒人は団結せよ！」「世界の白人は団結せよ！」「世界の女性は団結せよ！」「アジア人は団結せよ！」「アフリカ人は団結せよ！」「ヨーロッパ人は団結せよ！」……きりがない。

そのようなことを考慮すれば、友人の皆さん、われわれは、アピールの第三ページに書いてあることは、少し考え直した方がよいのではないかと思う。――「われわれは、〝一超〟軍国主義帝国アメリカによるイラクへの戦争が切迫しつつあった二〇〇二年七月いらい一貫して『全世界のイスラム人民よ、パレスチナ国家独立をめざして、イスラミック・インター‐ナショナリズムにもとづく闘争を組織せよ！』（黒田寛一『マルクス　ルネッサンス』所収「反戦闘争の現在的環」）という呼びかけを発してきた。この呼びかけを、……すべてのイスラム人民に発しつつ……」

われわれは、友人の皆さんに、われわれの最近の文章を紹介します。ここに、皆さんが、現在および将来における何らかの益を見いだすことを願っています。

〔以下、引用は略〕

これは、アピールの第三ページに書いてあることとは、「世界の仏教徒は団結せよ！」などというように列挙したものと同じたぐいの「世界のイスラム教徒は団結せよ！」ということではないか、考え直せ、と言っているものである。「イスラミック・インター‐ナショナリズム」の呼号を完膚なきまでに批判しているものではないか。この批判はまったく正しいではないか。「革マル派」現指導部がプロレタリア・インターナショナリズムの立場を投げ捨てている、ということを、独特な言い回しによって鮮明に浮き彫りにしているではないか。

「革マル派」〇人組よ！　この批判にどう答えるのか。

この組織の最近の文章について「引用は略」としてあることは意味深だ。もっと痛烈な批判にあたることが書いてあるのを、「革マル派」〇人組が隠蔽したのではないか、と疑いたくなる。それを読みたくなってくるではないか。

隠蔽したのではない、というのであるならば、その「最近の文章」というものを「解放」紙上で公表したらどうだろうか。

二〇二一年九月二〇日

〈73〉 返答はなかった

当然といえば当然ではある。

「解放」最新号（第二六八七号二〇二一年九月二七日付）には、返答はなかった。インドの「ファリダバッド労働者新聞――共産主義革命」という組織からの、「イスラミック・インターｰナショナリズム」の呼号への批判にたいする「革マル派」指導部の返答である。

自分たちが同志黒田寛一の言葉を引用した文章が批判されたのである。本来であるならば、顔面蒼白となり、まなじりを決して反論しなければならないはずなのである。その反論がない。反論できないのである。

「イスラミック・インターｰナショナリズム」の呼号へのわれわれの批判にたいして、「革マル派」〇人組は、自己を正当化するために同志黒田寛一の言葉を引用したのであった。この自己正当化の言が、インドの組織から批判されたのである。万事休すである。

「革マル派」〇人組は、どうするのであろうか。

自分たちはもうとっくに政治動物になっているのだから、そんなことはほっとけばいい、ということなのだろうか。

二〇二一年九月二三日

〔74〕同志黒田寛一の無謬神話を克服せよ！

「革マル派」の下部組織成員諸君！

全学連の学生活動家諸君！

いまが、同志黒田寛一の神格化ばかりではなく、諸君のうちにあるところの同志黒田寛一の無謬神話を克服する絶好の機会ではないだろうか。

いま、諸君たちが目を覚ますチャンスなのではないだろうか。

いま、同志黒田寛一の言葉それ自体が、すなわち「全世界のイスラム人民よ、パレスチナ国家独立をめざして、イスラミック・インター - ナショナリズムにもとづく闘争を組織せよ！」（黒田寛一『マルクスルネッサンス』所収「反戦闘争の現在的環」）という論述それ自体が、インドの共産主義組織から批判された。

この論述は、「世界の仏教徒は団結せよ！」「世界のキリスト教徒は団結せよ！」というのと同様に、「世界のイスラム教徒は団結せよ！」と言っているようなものだ、と批判されたのである。

プロレタリア・インターナショナリズムの立場にたつ者が、プロレタリアートの自己解放をめざす者が、イスラム教徒にたいして、イスラームはインターナショナルな性格をもっているからイスラム教徒たるの立場にたってたたかえ、などというように呼びかけるのはおかしいのではないだろうか。

同志黒田寛一の物神化をやめよ！

「イスラミック・インター・ナショナリズム」を組織として掲げたことを、組織として、その一員として自己批判しなければならない。これが出発点をなす。

みずからの首を絞めゾンビと化した「革マル派」現指導部〇人組から決別せよ！

二〇二一年九月二四日

〈75〉まるで活劇

「革マル派」機関紙「解放」の最新号（第二六八八号二〇二一年一〇月四日付）に掲載されている、「アフガンからの軍国主義帝国の敗走と熾烈化する米中冷戦」という論文は、まるで活劇の描写だ。階級的諸実体の動向を、そのイデオロギーとの関係で分析する、という分析の方法の、「そのイデオロギーとの関係で」というのがまったくない。

昔、同志黒田寛一は「手足を動かすだけなのを活動家つぅーんだ。共産主義者へと自分を鍛えあげなければならん」、とよく言っていた。

筆者はまさにこの活動家なのだ。手足を動かすだけの自分を、自分が分析する対象に投影して、この対象たる階級的諸実体がただ手足を動かしているだけのものとして描いているのである。

「イスラミック・インター - ナショナリズム」の呼号へのインドの共産主義組織からの批判に、組織の頂点に君臨する○人組が何ら返答することができないのであるからして、このこともまた当然である、といわなければならない。

二〇二一年九月三〇日

〔76〕打たれ強い企業、打たれ弱いアナウンサー、打たれたのを感じない○人組

ＮＨＫの高瀬アナウンサーがおもしろい。とぼけた味がある。

以前にはこういうことがあった。

急に大声でオペラのように歌いだし、横で桑子アナウンサーが「すごい美声ですね」と言ってケタケタ笑っていた。それでも本人はまったく動じず、終始一貫すました顔でいた。私には、これが何だったのか、

いまもってわからない。

オリンピックのときには、「こういうように国別に数えて比べるのはどういう意味があるのかとも思いますが」と言いながら、メダルの国別取得表をしめしていた。別の日にも、「スポーツは本来、アスリートが競い合うものですが」と言いながら、そうしていた。私は、あとでＮＨＫで問題にならないのか、と心配になった。

今朝は、「打たれ強い企業が必要とされている」という報道で、ＮＨＫの経済問題解説者に「高瀬さんはどうですか」と聞かれたのにたいして、彼はニコニコしながら、「私は打たれ弱いですね。できるだけそういうのから逃げたいですね」と答えた。解説者もニコニコして、次のテーマに移った。

この味を私が説明するのも野暮だが、彼は「私は打たれ弱いですね、打たれ強くなりたいですね」というように話しを合わせなかったのである。ねじり鉢巻きの日本の独占資本家たちに背いている、ともうけとれるのである。

「革マル派」の〇人組は、打たれ強いタイプでもなく、打たれ弱いタイプでもなく、打たれたのを感じないタイプだ、というのがぴったりだろう。

「イスラミック・インターナショナリズム」の呼号を、これではイスラム主義への迎合ではないか、とわれわれから批判されても、インドの共産主義組織から批判されても、彼らは何も感じないようであるからだ。

昔、「象の皮膚」と自称した哲学者がいた。彼らはこれとも異なるだろう。その皮膚は象にとってはまともであるからだ。

彼らは、自分自身に次亜塩素酸ナトリウム溶液（ハイターやブリーチという名で市販）をぶっかけて、皮膚の感覚そのものをぶっ壊してしまったのだろう。

二〇二一年一〇月一日

〈77〉 中央学生組織委員会論文は特色なし

「革マル派」機関紙「解放」最新号（第二六八九号二〇二一年一〇月一一日付）のトップに掲載されている「10・17労学統一行動に起て」という中央学生組織委員会論文は、特色がないというのが特色である。世界各地の軍事的動向にかんする新聞記事やインターネット上の記事をただ寄せ集めてきただけという代物である。コピペ（コピー・アンド・ペースト）の産物というべきか。

脱色化という「革マル派」組織指導部〇人組の特色は、学生組織にみごとに貫徹されている。

二〇二一年一〇月七日

〔78〕ノーベル賞を受賞した真鍋淑郎の理論に思う

報道によれば、真鍋淑郎は、二酸化炭素（CO_2）が気候の変動にあたえる影響を物理法則的に数量的に解明したのだ、という。

私はこのような理論が存在するのかしないのかということを確かめたかったのだが、発見することはできなかった。だが、このような理論は存在したのだ。

私は、川の氾濫などをひきおこした気候の変動を理論的に解明するために、地球は温暖しているとし、その原因を二酸化炭素の増大にもとめる説と、これを種々のかたちで否定する説との両者を、それぞれの学者の書物にあたって、批判的に検討してきた。

二酸化炭素分子がそれを構成する原子の振動によってエネルギーを蓄える性質をもつ、——窒素分子や酸素分子はそういう性質をもたない、——ということは、物理法則的に知られていることであり、両派に属する学者の誰もが（このことについてはふれない、ということをも含めて）否定していないことであった。二酸化炭素分子は電磁波を吸収してこれが運動エネルギーとなり熱として現象するとともに、また電磁波を放出する、ということであった。

しかし、このことをもとにして、大気における二酸化炭素の増大が地球表面の温度をどれだけ上昇させるのか、ということを数量的に解明した理論の紹介は、私が読んだ本にはどこにもなかった。二酸化炭素原因否定説の論者のなかには、そのような物理法則的解明ではその数値は小さなものにしかならないので、それを増幅させる要因を解明しなければ二酸化炭素原因説は成立しないのだ、と論じている学者もいた。しかし、そのように断定しているだけであって、その数値は小さなものとなるということを明らかにする論述はなかった。

こういうことから、私は、ＩＰＣＣ（気候変動にかんする政府間パネル）は、気温の上昇にかんする数値とその要因となる種々の物理量とを関係させる方程式をつくり、実際の観測値に合致するように、その方程式をいろいろと調整しているのだ、と判断した。ほんとうに現象論的な現象論だ、と判断したのである。しかし、この私の判断は間違っていた。ＩＰＣＣが現在、実際にやっているのはそういうことだとおもわれるのであるが、それの基礎となる物理学的理論が存在したのである。そのような理論が存在しないと判断した私自身を、おのれの無知に無自覚であった、と私は反省する。真鍋淑郎の理論のような理論が存在する、ということを探りあてるのは大変であるとはいえ、そう思う。

このことからするならば、二酸化炭素原因説をとる学者も、それの否定説をとる学者も、この真鍋の理論にふれないのは、学問的にきわめて不誠実である、といわなければならない。

地球は温暖化していないとか、温暖化しているがその原因は二酸化炭素の増大ではないとかと主張するのであるならば、二酸化炭素原因説の理論的根拠となっているのは真鍋の理論である、というようにこの理論を摘出し、これを壊滅的に批判しなければならないのである。ブルジョア学者にマルクスの探究の姿勢を対置しても仕方がないのだとはいえ、右のことは、マルクスが『資本論』を展開するために、すなわち資本制生産様式を本質論的に解明するために「剰余価値学説史」を書き、古典派経済学をその根底から批判した、ということを見ても明らかなのである。

他方、二酸化炭素原因説をとる学者は、自分たちの研究の理論的基礎となっているのは真鍋の理論である、ということを明らかにしなければならないのである。どうも、そのようにしているとは思えない。私には、彼らは、観測値に合致するように方程式を調整することとそのためのコンピュータの操作に胡坐をかいているように思えるのである。

真鍋が研究していた一九五〇年代後半当時には、地球の気候にかんする理論的解明は困難に直面していたのだ、という。一方では、太陽からエネルギーが地球に降り注ぐとともに、他方では、地球は宇宙空間にむかって放射線を放出する。この両者のつり合いを計算すると、地表の温度は零下になってしまうのだ、という。それが現実には温暖な気候になっているのは大気が存在していることによるのだが、これには大気中の二酸化炭素が作用している、ということを、真鍋は明らかにした、ということなのである。

大気を地表から上に棒状に伸びるものと見立てる「一次元モデル」をつくり、作用するものと捉える諸物理量の種類を減らすかたちで関係式を明らかにして、コンピュータで計算できるものとした、ということなのである。

ブルジョア科学で言う「モデル」、「模型」にかんしては、これを、武谷三段階論をうけつぐわれわれの観点からするならば、研究の対象とする物質的なものの実体的構造を明らかにしたものとして捉えかえすべきである。

かつてラザフォードが原子の構造を図解的に明らかにしたものは、「ラザフォードの原子模型」と呼ばれた。この「原子模型」とは、原子の実体的構造を、すなわち原子核と電子からなるそれを、明らかにしたものとして、われわれは捉えることができるのである。

このようなことからして、真鍋の「一次元モデル」を、私は、大気の流動の実体的構造を、すなわち、大気の温度を、大気を構成するもろもろの種類の分子の運動にもとづくものとして、把握したものだ、というように捉えるのであり、このようなものとして理論的に、物理学的に検討しなければならない、と考えるのである。

このような考察にもとづいて、私は、地球の気候の変動にかんして、人間生活の社会的な営みにもとづく要因を否定し、人間を除く自然的要因のみを主張する論者は、大量生産・大量消費・大量廃棄を特質とする今日の資本主義を擁護するという階級的立場にたつものであり、哲学的には、おのれの直面している物質的現実を直視しないものである、という感を強くしたのである。

かつて、原子核から飛び出す電子のエネルギーがまちまちであるという現象に直面して、すなわちベータ崩壊の謎に直面して、ある物理学者たちは、もはやエネルギー保存の法則は成立しない、これは観測する人間の主観が作用したものだ、と主張したのであった。だが、この現象は、このとき同時にニュートリノが飛び出しているのだ、というように、その現象をもたらしている物質的なものの実体的構造が明らかにされることによって、物理学的に理論的に解明されたのである。

気候変動におよぼす人間社会的な要因を否定する論者は、このときの観念論に陥没した物理学者のようなものである。

また、そのような論者は、マルクスの『資本論』にたいして、資本主義のこれこれの諸現象はマルクスの展開に反すると主張して、その解明を否定するブルジョア経済学者と同じようなものである。

私には、真鍋の理論にこれ以上にふみこんで検討する余裕はない。以上の論理的な方法論的考察、および、学問的態度にかんする検討にもとづいて、真鍋の理論は理論的に検討する価値がある、と私は考える。そして、真鍋の理論が基礎となっているということがわかった、気候変動にかんする二酸化炭素原因説もまた、――ＩＰＣＣの階級的立場をあばきだすことを基礎にして、――理論的に検討する価値がある、と私は考える。

現実を直視しよう。いま、各国の国家権力者と独占資本家ども（および中・露の官僚資本家ども）は、脱炭素産業革命にもとづく労働者階級への攻撃を大々的にかけてきている。この事態を分析し、闘いの指針を解明することが、急務である。われわれは、このことに全精力を傾注しなければならない。

われわれにとっては、私の以上の考察がどうであるのかということを組織的に検討することが残されているだけである。私の以上の考察にかんする、あらゆる方々からの意見をお願いしたい。

二〇二一年一〇月一〇日

〔79〕 真鍋淑郎の理論に思うことの追加

きのうは、真鍋淑郎の理論について思うことという一点にかぎって書いたのだが、地球温暖化問題についての私の問題意識、および考えていることの骨組みをのべておいた方がいいように思う。

まず言いたいことは、各国の国家権力者と諸独占体が脱炭素に舵を切ったいま、地球の温暖化の原因について、こまかくいろいろと論議することはほとんど実践的意義をもたない、ということである。いまは、脱炭素産業革命にもとづく労働者階級への大攻撃の現実を分析し、この攻撃をうち破るためのわれわれの実践の指針を具体的に解明することが急務である。

異常な気象がいろいろとおきていることそのものにかんして言えば、これについては、今日の資本主義が、とりわけ大量生産・大量消費・大量廃棄を特質とする国家独占資本主義（および中・露の国家資本主義）が悪の根源だ、ということである。（地球の気候に影響をあたえる自然的なものにかんしては、太陽の活動がいま低下していることが、地球の寒冷化をもたらす要因となる。ところが、現実には地表の気温は上昇する傾向をしめしているのであり、この両者の差は人間の社会的生活にもとづくものと考えることができるのであって、これを究明することが、われわれの課題となるのである。）

というのは、地球の温暖化という現象にかんしては、次のことが見落とされてはならない、と私は考えるからである。

いま太陽からふりそそいでいるエネルギーを超えるエネルギーを、資本家どもは資本の増殖のために使ってきたのであり、使っているのである。それは二つ。石炭や石油などの化石エネルギーであり、原子力エネルギーである。前者は、蓄積された過去の太陽エネルギーであり、後者は原子核に内在していたエネルギーである。この両者の使用は、太陽から現在ふりそそぐエネルギーにもとづくものを超えるかたちで、地球を暖めるのである。しかも資本制生産の拡大のための森林の破壊は、太陽エネルギーの現在的な蓄積を阻害するのである。

独占資本家的に使用される化石エネルギーや原子力エネルギーが、温室効果物質によって大気中に保存され蓄積されるのである。

大気物理学によれば、地球が温暖な気候であるのは、地球に大気があることにもとづく。しかし、大気中に大きな比重をしめる窒素分子や酸素分子は、エネルギーを蓄える性質をもたない。その性質をもつのは、水分子（H_2O）と二酸化炭素分子（CO_2）である。一個の分子あたりでは、水分子の方が二酸化炭素分子よりもエネルギーを蓄える能力が大きく、しかも、大気中にしめる比重は前者の方が大きい。だから、地球の温暖な気候に寄与する度合いは、水分子の方が大きい。

独占資本家による石炭や石油の使用は、大気中の二酸化炭素の濃度を高め、増加したこの二酸化炭素は、太陽からふりそそぐエネルギーをよりいっそう大気中に蓄え、地表の温度を高める役割をはたす。真鍋淑郎の理論はここにかかわるわけである。

それればかりではなく、独占資本家が使用した化石エネルギーや原子力エネルギーもまた、水分子や二酸化炭素分子によって大気中に蓄えられる。さらには、このことにもとづく気温の上昇が、海からの水分子の蒸発や、海に溶けこんでいた二酸化炭素分子の大気中への放出を促進するのである。これがまた、気温の上昇をもたらすことになる。

このような構造を分析することが必要である、と私は考える。

私がいまのべた、独占資本家（および中・露の官僚資本家）が使用した化石エネルギーや原子力エネルギーが大気中の水分子および二酸化炭素分子によって蓄えられ、気温の上昇をよびおこす、ということについては、ＩＰＣＣを中心とする二酸化炭素原因論者も、これに反対する自然的要因論者も、何ら論じていないようにおもわれる。それは、このことを論じるならば、資本主義が悪の根源だ、ということになってしまうからではないか、と私は考えるのである。

二〇二一年一〇月一一日

〈80〉　なぜか紹介する文字数が少ない。どうしたのだろう？

「革マル派」機関紙「解放」の最新号（第二六九〇号二〇二一年一〇月一八日付）の記事がインターネット上で紹介されているのだが、なぜか紹介する文字数が少ない。ほんのちょろっとだけ。どうしたのか？書くには書いたが、書いたものを隠しておきたいのだろうか。

紹介しているのは、トップ論文のほんの最初と、沖縄県学連の闘争の報告だけなのだ。

しかも前者の内容は、岸田は「一切の審議もおこなわずに国会を解散しようとしている」、「立法府＝国会を徹底的に形骸化させている」というように、選挙の票を何とか伸ばしたい一心の野党とまったく同じなのだ。野党尻押しの議会主義丸出し、というべきか。

脱色してしまったので、書くことも、押しだすものも、何もないのだろう。

二〇二一年一〇月一三日

〈81〉「「連合」の脱構築」の空叫び

「革マル派」〇人組は「「連合」を脱構築せよ！」というスローガンを掲げた（「解放」最新号＝第二六九一号二〇二一年一〇月二五日付）。「解放」紙上にこのスローガンが掲載されるのは何年ぶり、いや何十年ぶりのことだろう。いま掲げたのは、岸田文雄が設置した首相直轄の「新しい資本主義実現会議」に「連合」の新会長・芳野が加わったことを弾劾してのことである。

だが、これは、空叫びでしかない。というのは、「連合」傘下の諸労働組合の内部において、その組合員や組合役員となっているメンバーたちが、「連合」指導部弾劾の闘いをどのようにおしすすめるのかというイデオロギー的＝組織的闘いの指針が、何ら明らかにされていないからである。

こんなことを言っても、〇人組には無理なことである。彼らはもう何十年も前から、労働運動を左翼的に展開する闘いにおいて組織がおかした数々の誤謬を何ら反省しえず、展望を喪失し、このおのれの責任を、組織化する対象である労働者に転嫁して、プロレタリアートに不信を抱いてきたのだからである。

トップ論文でインターネット上に掲載されているのは、その冒頭の部分だけである。だが、端緒は全体を体現する。端緒にないものは、その終局にもないであろう。

二〇二一年一〇月二一日

〈82〉 だまされた！ 浅はかだった！

わが仲間から、「「解放」の「海外アピール」に引用されている「イスラミック・インター - ナショナリズム」にかんするくだり、これが書かれている「反戦闘争の現在的環」という論文は、同志黒田寛一が執筆したものではなく、別の人物が書いたものだ。別の筆者名が記されているし、文体も内容も黒田のものとは違う」、と私は教えられた。私は、「エッ」とおどろいた。その本を見てみると、たしかに、わが仲間の言うとおりだった。

だまされた！「解放」の文面を信じた私は、浅はかだった！　無念！

「国際反戦集会　海外へのアピール」（「解放」第二六七六号二〇二一年七月一二日付）には次のように書かれてあった。

「われわれは、」「一貫して「全世界のイスラム人民よ、パレスチナ国家独立をめざして、イスラミック・インター - ナショナリズムにもとづく闘争を組織せよ！」（黒田寛一『マルクス ルネッサンス』所収「反戦闘争の現在的環」）という呼びかけを発してきた。」と。

この（ ）内の表記から、私は、浅はかにも、――『マルクス　ルネッサンス』という本そのものを調べずに、――「反戦闘争の現在的環」という論文の筆者は黒田寛一である、と思いこんでしまったのだ。

だがしかし、実際には、『マルクス　ルネッサンス』という本は黒田寛一著となっているのだが、当該の論文は、「終焉の端緒」という黒田の論文に（付・一）というようにして付されたものであり、「岩倉勝興」という筆者名が記されており、わが仲間が言うように、文体も内容も、黒田の文章とは似ても似つかぬ雑駁なものなのである。（付・二）として付されている論文には「片桐悠」という・それが誰であるのかがすぐにわかる有名な筆名が記されていることからしても、「岩倉勝興」という筆名は黒田のものではないことは明らかなのである。ちなみに、黒田著の本であることからして、黒田執筆の論文は無署名になっているのである。

だから、学問的に誠実たらんとするのであるならば、この部分を引用するときには、引用元については、「黒田寛一『マルクス ルネッサンス』所収、岩倉勝興「反戦闘争の現在的環」」というように記すべきものなのである。

だが、引用者は、そのような誠実さとは真逆の人物なのである。私はそのことを熟知していながらも、だまされたのである！　何ということか！

この引用者であるところの「海外へのアピール」の筆者は、「黒田寛一の陰に隠れる・こすい人物」「ただただ黒田寛一を信奉し崇め奉るだけの・政治主義であると同時に・神経質で気の小さい・どうでもいいことをくどくどと考える几帳面な人間」というように、長ったらしく私が特徴づけた人物なのである。

このような人間のやることを見ぬけなかったとは、私は何と感覚がわるかったことか。

この人間は、引用文が黒田の筆になるものである、と見せかけるために、その文がある論文の筆者名「岩倉勝興」を引用元の表記から抜いたのである。こすい！　何と姑息な！

というこことは、「イスラミック・インター - ナショナリズム」という語は、黒田が書いたもののなかにはどこにもない、ということなのである。ということは、黒田寛一としては、この語については、自分が書いたものとして歴史に残したくはなかったのだ、ということがわかるのである。

もちろん、『マルクス　ルネッサンス』という本は、黒田が編集したのであるからして、彼は、岩倉勝興論文とその内容については、これを認めているわけである。

「全世界のイスラム人民よ、パレスチナ国家独立をめざして、イスラミック・インター‐ナショナリズムにもとづく闘争を組織せよ!」という呼びかけのスローガンの内容を、革命的マルクス主義の立場にたってどのように位置づけるのか、その内容を反スターリン主義理論からどのように基礎づけるのか、ということについて、同志黒田寛一は、組織内部において論議を組織してはいない。

このことが反スターリン主義前衛党組織の組織建設にとってどのような問題をはらむのか、ということについて、われわれはほりさげていかなければならない。その一端について、私は、これまで書いてきた。ここでは、かのアピール文を書いたこすい人間の政治主義的なやり口を見ぬけず、暴露するのがぬけてしまった、という私の悔しさを吐露したまでのことである。

この人間は、「イスラミック・インター‐ナショナリズム」の呼号へのわれわれの批判から逃れ自分たちを正当化するために、かの引用文に黒田寛一の名を冠したのである。その引用文を配したアピール文が、インドの共産主義組織から、それは、「世界の仏教徒は団結せよ」「世界のキリスト教徒は団結せよ」と叫ぶのと同様に「世界のイスラム教徒は団結せよ」と叫ぶようなものだ、と批判されてしまった。この人間は、黒田寛一の顔に泥を塗ったのである。何ということか。

自分たちが変質し腐敗するだけでよい。いまは亡き黒田寛一を巻き添えにすることはない。

同志黒田寛一の限界については、われわれはわが組織そのものの問題として、わが革マル派組織建設の挫折として、反省しほりさげていくのでなければならない。われわれは組織の一員たるおのれ自身をみつめ省察し、内部思想闘争をくりひろげ、一歩一歩この反省をほりさげてきているのである。

——この問題についてほりさげていくために、松代秀樹・藤川一久編著『脱炭素と『資本論』 黒田寛一の組織づくりをいかに受け継ぐべきなのか』（プラズマ出版）の「Ⅲ　革マル派組織建設の挫折をのりこえよう」をも読んでください。

二〇二一年一〇月二二日

〔83〕 職場でいかにたたかうべきなのか——黒田寛一の感覚を超えるもの

いたましい。

トヨタの販売店の三八歳の男性の労働者が、パワハラをうけ、うつ病となって、二〇一九年五月にみずから生命を絶ったのだ、ということを、この件が労災認定されたというニュースで、私は知った。

この労働者は、大学卒業後に同社に入社し、二〇一八年六月以降、上司から「バカ野郎」などと言われ、ほかの社員の前で一時間以上にわたり大声で叱責されたのだ、という。一九年二月に、うつ病を発症したのだ、という。

私は、二〇一八年六月にまで時間を引きもどし、私がこの職場の労働者となって、この上司に「何をするんだ！　やめろ！」と怒鳴りつけたい気持ちでいっぱいだ。そのあとでこの労働者と二人で話して、「つらかったでしょう。どんなことをやられてきたのか、聞かせてくれ。くじけずに頑張ろう。何かあったら私に言ってくれ」、と彼を元気づけ、彼といっしょにご両親のところへいって、こういうことがあったと話し、「何かあったら、私に連絡してください。微力ながら、私も力をふりしぼりますので」、とあいさつして来たい、ああ！　時間を引きもどせたら！　私がその職場の労働者であったならば！　という思いに私は駆られた。

考えてほしい。

自分自身が、二〇一八年の夏のこの職場で、労働者として働いていたとしよう。

この青年労働者が上司から叱責されているこの瞬間に、自分自身がこの上司に「何をするんだ！　やめろ！」と怒鳴りつけることができただろうか。自分自身がこのように自分の感覚を働かせることができただろうか。この一瞬に、自分が逆に首を切られることがないように自己の感覚を研ぎ澄ませ、どのようにすればこの上司の行動をやめさせることができるのかというように頭を働かせ構想することができただろうか。

いや、出発点において、この職場の仲間を救おう、助けよう、というように自分の感性が働いただろうか。

これは、常日頃から、経営者および管理者の諸行動と、自己の疎外された労働に怒りをもやし、この自己の労働を思索し、苦しめられている職場の労働者仲間たちに目をくばり、自分がそれぞれのこの労働者の力になり、彼にたたかう自覚とバネをいかにつくりだしていくのか、というように、自分の感性を働かせ、頭をまわしているのでなければ、できないことである。

もしも自分はこの上司に太刀打ちできないと判断するのであれば、あとでこの青年労働者に声をかけ、話しする以外にない。この一瞬に、この判断をくださなければならない。何らの自己の判断なしに、時間が過ぎ去ってしまうのは駄目なのである。あらかじめ、自分が口をだすことではない、と決めてしまっているのは、よりいっそう駄目なのである。

「組織会議で論議し、E_2を解明し、このE_2をE_{2u}として具体化しなければならない」――すなわち、われわれの闘争＝組織戦術を解明し、この闘争＝組織戦術を職場の諸条件の分析にふまえて、組合員として、組合の運動＝組織方針として具体化しなければならない――という意識で自分の頭が凝り固まっていたとするならば、この場面では対応不能におちいってしまう。いや、対応しよう、という意欲さえもがわきおこってこないことになる。

この職場には労働組合があったのかそれともなかったのか、ということはわからないのでこの問題については問わないとして、このばあいのE_2とは何か、E_{2u}とは何か、ということが問題になる。無理に言えば、E_2は「トヨタ資本による労働強化反対！」という指針として解明しうる、と言えないこともないが、こんな解釈をしても仕方がない。いま、この労働者が上司に「バカ野郎」と怒鳴られ、一時間にわたって叱責されていること、このことが問題なのだからである。

「革マル派」現指導部には、こういうことがわからないのである。職場で何もできなくなっている労働者同志たちを指導できなくなっている自分を棚に上げて、労働者を組織化できない責任を、組織する対象である即自的労働者に転嫁し、彼ら現指導部は、プロレタリアートに不信を抱いたのである。このことの根拠は、彼らには、右でのべてきたことがわからない、ということにあるのである。

　同志黒田寛一その人が、そのことがわからなかったのだ、と私はおもうのである。彼が、みずからが解明してきた反スターリン主義の諸理論とは切り離して、当面は、イスラム人民を尻押しする、と決断した根拠は、ここにある、と私は考える。彼自身が、労働者をどのように変革し組織していけばいいのかがわからなくなっていたことが、そのことの根拠をなす、と私は考えるのである。

　同志黒田から私が「個別オルグ主義」と批判されたとき、私は、右にのべてきたようなことを具体的に明らかにすることはできなかった。私自身が職場で実際に働き、職場の労働者たちと触れ合うことによって、私は右のようなことを自己の体験とその教訓というかたちで語ることができるようになったのである。だが、私がこのようにしかできなかったということは、わが革マル派組織建設に大きな問題をはらむものである、と私は自覚するのである。

二〇二一年一〇月二二日

〔84〕　端緒は終局を決した

「解放」最新号（第二六九一号二〇二一年一〇月二五日付）のトップ論文を最後まで見ても、闘いの指針らしいものについては、最後に「ネオ・ファシズム政権の極反動攻撃の先兵と化した「連合」労働貴族を徹底的に弾劾せよ！」と書かれているだけであった。

「革マル派」〇人組は、「「連合」を脱構築せよ！」というスローガンを、何十年ぶりかにうちだしたのだが、みずからの党員が労働組合員あるいは労働組合役員としていかに闘うかの指針を、ついに一語として書くことができなかったのである。

端緒は終局を決した。

かの「脱構築」のスローガンは、犬の遠吠えでしかなかった。

彼らがこうなってしまったことの根拠を、さらに一つひとつ考察していくことにしよう。

二〇二一年一〇月二四日

〈85〉アベノマスクの罪

会計検査院の発表によれば、政府配布の布マスクが八二〇〇万枚＝一一五億円分が余剰となっているのだという。この余ったマスクの保管費用は、昨夏から今春までで六億円にまでのぼったのだという。

アベノマスクがこのざまなのだ。

政府はこのマスクをいつまで保管しつづけるのだろう。もはや布マスクをつける人はいない。研究者たちの実験によって、不織布マスクに比して布マスクは圧倒的に効果が低い、ということが判明しているからだ。

新型コロナウイルスを蔓延させた責任を隠蔽するための、安倍晋三の自己保身のアベノマスク。

労働者たちを徹底的に搾取している独占資本家ども、この独占資本家どもの階級的利害を体現している現存ブルジョア政府のやっていることはこういうものなのだ。

二〇二一年一〇月二七日

〔86〕テスラ、株式時価総額一兆ドル超え

二〇二一年一〇月二五日のニューヨーク株式市場でEV（電気自動車）大手テスラの株式の時価総額が一兆ドル（約一一〇兆円）の大台をはじめて突破した。時価総額の一兆ドル超えは「GAFA」などの巨大IT企業がすでに達成しているが、自動車メーカーでははじめてだという。トヨタはすでにテスラに抜かれている。

車の販売台数では、テスラはトヨタよりも圧倒的に少ないにもかかわらず、株式の時価総額ではトヨタを凌駕して肥大化させつづけているのは、世界の投機屋ども（金融機関・独占企業・個人など）が、脱炭素の流れを当てこんで、その資金をテスラに投入しつづけていることにもとづく。

テスラは、自動車産業のなかのガソリン車およびその部品の生産部門を壊滅させ、そこの労働者たちを

路頭に放りだすかたちで、自資本を増殖させており、そしてよりいっそうそうしようとしているのである。

トヨタは、当面はハイブリッド車の生産を拡大しつつ、水素エンジン車などを開発するというように、自資本を増殖させるために、トヨタ生産方式にもとづいて労働者たちから剰余労働を徹底的に搾り取りつづけると同時に、自企業の系列の下請け・孫請け企業群とそこの労働者たちからよりいっそう無慈悲に収奪しつづける、という道を選んでいるのである。

両者ともに、その行動の本質は、労働者からの剰余労働の搾取の強化にある。

このような搾取の強化をその根底からくつがえすために、労働者たちは階級的に団結しよう！

二〇二一年一〇月二九日

〔87〕 前途多難な水素ステーションの設置

政府は、水素で走るFCV（燃料電池車）の普及をはかるために、小型の水素ステーションの整備にのりだす方針だという（読売新聞、二〇二一年一〇月三〇日朝刊）。

FCVは、トヨタが、自社の立ち後れているEV（電気自動車）に対抗する狙いをもこめてその開発と生産に力を入れているものであり、水素ステーションは、また、同社が開発している水素エンジン車の普及のためにもどうしても必要不可欠なものなのである。だから、それの整備は、豊田章男が、「日本がEV

に特化すると、日本の自動車産業はつぶれるぞ」、とヒステリックに脅して、政府に要求してきたものなのである。

水素ステーションは、建設中のものをふくめて、全国に一六九か所ある。現在、主流のものは、工場でつくった水素を運びこみ、一時間で五〜六台に充填できるタイプであり、整備費は約四億円かかる。補助金を使っても事業者は、約一億五〇〇〇万円が必要になる、という。

これにたいして、政府が来年度から新たに補助金の対象として加えようとしているのは、一時間の充填能力が一〜二台のものである。このばあいには、ステーションの設置場所で水を電気分解して水素を製造するとし、一か所あたりの整備費は約一億五〇〇〇万円かかるが、補助金を使えば約五〇〇〇万円で済む、とされる。

水素ステーションは、現在、東京都に二三か所、愛知県に三七か所あるというように、トヨタを支援するような配置になっている。これに小型のものを加える、というわけなのである。

充填能力が一時間に車一〜二台というのだから、FCVや水素エンジン車の普及のためには、膨大なステーションの設置を必要とする。しかも、その場所で、わざわざ水を電気分解して水素をつくるというのだから、膨大な電力を必要とするのであり、そんなことをするくらいなら、電気エネルギーをそのままEV（電気自動車）に使った方がいいじゃないか、ということにもなってくるのである。

どうも、トヨタも参加する意向であるところの、オーストラリアやブルネイでつくった水素を液体水素にしてタンカーで日本に運んでくる事業、この水素を水素ステーションで使うのではないようだ。この水素を小分けにして陸路でステーション設置地にまで運ぶのは大変であり費用がかかるのだろう。

日本独占ブルジョアジー総体の利害を体現する政府は、「水素ステーションの設置を急がないなら、トヨタは日本から海外に逃げるぞ」というトヨタの社長の脅しのゆえに、その設置を急いでいるのだが、その実現は前途多難である。

日本の独占資本家ども総体も、トヨタの社長も、脱炭素産業革命に対応して自分たちが生き延びるために、労働者たちから剰余労働をどのようにして徹底的に搾り取っていけばいいのか、というように、その策をねっているのである。

二〇二一年一〇月三〇日

〈88〉「革マル派」が何か変な異人種にのっとられたみたいだ

「革マル派」が何か変な異人種にのっとられたみたいな感じだ。変質に変質をかさねておかしくなった、というのとちょっと違う。痩せても枯れても革マル派という匂いがないのだ。ブクロ派の連中が「革マル派」になだれこんでのっとってしまった、という感じなのだ。昔の、民族大移動で、異民族が在来民族を支配してしまった、というような感じ。

「解放」最新号（第二六九三号二〇二一年一一月八日号）の文体が従来と違うのだ。しかも、インターネット上に掲載されている二つの論文の文体が同じように従来と違う。

トップ論文は次の文ではじまる。

「十月三十一日におこなわれた衆議院選挙において、日本人民は、岸田自民党による「絶対安定多数」（二六一議席）の確保を許してしまった。」

こんな「日本人民は」を主語にした文体は、はじめて見た。文体がブクロ派ふうなのだ。ブクロ派の連中がデモで、歌うようにシュプレヒコールをあげて踊っているような感じ。

こんな議席の論評からはじまるのも、選挙に憂き身をやつしてきたブクロ派ふうなのだ。

いったい何が起こったのだろう。

みなさん、分析してください。

二〇二一年一一月六日

〔89〕 トヨタの苦悶

脱炭素の技術の開発競争にかんして次のように報じられた。（「読売新聞」二〇二一年一一月一四日）

∧トヨタ自動車とマツダ、ＳＵＢＡＲＵ（スバル）、川崎重工業、ヤマハ発動機の五社は、一三日、脱炭素社会の実現に向け、レースを通じて水素エンジンやバイオ燃料の開発・利用で協力する方針を発表した。

トヨタは水素エンジン車でのレースを続けるほか、来年はスバルと共に、バイオマス由来の合成燃料を使う新たな車両を投入する。マツダは、使用済み食用油や微細藻類の油脂を原料とした一〇〇％バイオ由来のディーゼル燃料を使ったレースを始める。川重とヤマハは、二輪車向け水素エンジンの共同研究を検討する。同じく二輪車大手のホンダとスズキも参加する方針だという。

自動車業界は世界的な脱炭素化の流れを受け、電気自動車や燃料電池車の開発を進めている。水素エンジンやバイオ燃料は、メーカーが長年培ってきた内燃機関の技術を活用できるため、関連する雇用の維持も期待できる。五社はレースという過酷な条件での走行を通じ、内燃機関による脱炭素化の可能性を追求し、技術の選択肢を広げたい考えだ。＞

＜トヨタの豊田章男社長は、「(脱炭素を進めたとしても) 内燃機関が生き残り、かつ発展させる方法があるのではないか」と訴えた。＞という。

豊田章男の苦悶の顔が浮かぶようだ。

この男は独占資本家として、これまでそうであったようにこれからも、あくまでも、トヨタ生産方式によって自企業の労働者たちを徹底的に搾取し、自社の系列下の下請け企業・孫請け企業とそこで働いている労働者たちを無慈悲に収奪しつづけていくことをたくらんでいるのだ。

労働者たちを搾取し収奪することにおいて、電気自動車のテスラなんぞに負けるものか、というわけなのだ。

相争う独占資本家どものたくらみの貫徹をうち破るために、全世界の労働者たちは階級的に国際的に団結してたたかおう！

〔90〕　ホンダ、部品メーカーの選別・淘汰を開始

二〇二一年一一月一五日

ホンダは主要部品メーカーにたいして、二酸化炭素排出量を二〇一九年度比で毎年四％ずつ減らし、二〇五〇年に実質ゼロにするように要請した。これは、ＥＶ（電気自動車）とＦＣＶ（燃料電池車）との生産への転換を急ぐホンダが、自社の傘下の下請け・孫請け企業の選別・淘汰を、すなわち自企業の戦略にそぐわない部品メーカーの切り捨てを開始したものにほかならない。

ホンダは、二〇四〇年にすべての新車販売をＥＶかＦＣＶかにするという目標を掲げていることに端的にしめされるように、ＨＶ（ハイブリッド車）をできるだけ長く生産し、水素エンジン車をも生産する、というかたちで内燃機関にしがみつきたいトヨタなどと明確に異なる企業戦略をとっているのであり、アメリカのテスラや多くの中国企業と同様の道を歩んでいるのである。

この対立は、生産設備を抜本的に更新して労働者たちを無慈悲に路頭に放りだすのか、それとも、労働者たちを従来どおりの方式で徹底的に搾取しつづけるのか、という独占資本家どもの労働者の剰余労働の搾り取り方の違いにもとづくものなのである。

労働者たちは、独占資本家どものいずれの策略をも許してはならない。全世界の労働者たちは国際的に

階級的に団結してたたかおう！

二〇二一年一一月一七日

〈91〉 過去のしがらみがなくなった

「革マル派」現指導部は、反スターリン主義運動という過去のしがらみから完全に解放された。黒田寛一とともに組織現実論を解明してきたという過去からも、あとくされなく解き放たれた。

「解放」最新号（第二六二九号二〇二一年一一月二二日付）の一面トップ論文を見てみよう。

「日共不破＝志位指導部は、第二次岸田政権の反動諸攻撃を打ち砕く大衆的な闘いの組織化をまったく放棄しさっている。」「大闘争の組織化の呼びかけさえもおこなっていないではないか。」「「改憲阻止の国民的闘争」の組織化など完全に放棄しさっているのだ。」

日共批判は、「大衆的な闘いの組織化を放棄しさっている」だけである。〈反スタ〉は、もはや、〈大衆的な闘いをやること〉になっているのだ。

他面から言えば、これが、日共の方針にたいする闘争論的批判なのだ。大衆闘争論的解明の面影はどこにもない。かつては、少しはちりばめられていることがあった、大衆闘争論・運動＝組織論・党建設論などの組織現実論や労働運動論あるいは自治会運動論などの一知半解の用語は、まったく何もない。

彼ら現指導部は、過去をきれいさっぱり捨て去った。過去に引きずられることは何もない。ただ大衆闘争だけをやっていればいい――これが、異人種にのっとられ制圧された「革マル派」の姿なのである。

哀れ！

二〇二一年一一月一八日

〈92〉魚も鏡で自分がわかる。ましてや人間は。組織の成員は？

幸田正典著『魚にも自分がわかる　動物認知研究の最先端』（ちくま新書）の書評（評者は中村桂子）が東京新聞（二〇二一年一一月二〇日朝刊）に載った。

これがおもしろい。

体表につく寄生虫を捕る習性のある熱帯魚ホンソメワケベラに鏡を見せた。そうすると、最初は鏡を攻撃していたホンソメが、三日目ごろから鏡の前で逆さになったり踊ったりする行動をとりはじめ、一週間で攻撃をやめた。

そこで、この魚の喉に茶の色素を注射した。鏡を置かないと何ごとも起こらなかったのだが、鏡を置くと、このホンソメは喉をこすった。

このホンソメには、鏡に映っているのが自分だ、とわかったのだ。

著者は「あまりの衝撃に『オーっ』と叫んだ。ほんとうに椅子から転げ落ちそうになった」という。

魚にも自分がわかるのだ。

人間は他の人間を、自分の生産物を、自分の鏡とする。

「革マル派」の組織成員であるならば、「われわれは自己にあらざる他のものにおいて自己を見る」ということを知っているであろう。

「革マル派」の組織成員にとっては、「解放」の諸論文は自己の他在である。「解放」の各号の一面トップ論文の、反スタ諸理論とも組織現実論とともまったく無縁なものと成り果てたその悲惨な内容に、自己の姿が映しだされているのである。このおのれをどう自覚するのか。

ほんの少数のメンバーを除いては、彼らの圧倒的多数のメンバーたちは、自分の職場で、労働者たちをオルグしてはいないのであろう。自分を映す鏡そのものを失っているのであろう。いや、久しい昔に、自分を映す鏡を自分でたたき割ったのであろう。

魚でも自分がわかる。

ましてや、われわれは人間である。われわれは自分が接し働きかけるこの人・あの人を鏡として、おのれ自身を省みて、おのれ自身を変革していくのでなければならない。

二〇二一年一一月二一日

〔93〕ライオンも狩りをする。ましてや人間は

魚も鏡で自分がわかる。ライオンも狩りをする。ましてや人間は。

私には、人間と動物とは密接につながっている、という気がする。人間は、労働する主体である、という点において動物と区別される、というのはそうであろう。だが、人間は、意識をもっている、という点において動物と区別されるのかどうかというと、どうも違うような気がする。動物は、人間のように言語を駆使するというような意識はもってはいない。だが、動物は、人間にそれなりに匹敵するような意識をもっている、という気が、私にはするのである。

人間は、ぼやぼやしていると動物に負けてしまう、という気がするのである。人間は、堕落することもできるという、動物にはない・優れた特性をもっているからである。

ライオンは、草原の場において、本能につきうごかされつつ、シマウマをどのようにして捕るのかを、言語体なしの即自的概念のようなものをつかって構想し、仲間に伝えあい、見つけたシマウマを包囲し、追いつめていく。これは、ただ本能につきうごかされているだけの、蜂が巣をつくるのとは異なるものである。

人間は、対象的現実に面々相対して、これをどのように変革するのかという目的と手段の体系を構想し、おのれのこの意志にのっとって実践する。だが、同時に、自覚的に共同体的存在である人間は、対象的現

実を変革するという実践的立場を喪失し、現実の動きに、波間にただよう木の葉であるかのように、身をゆだねていることもできる。他者に依存しているだけでいることもできる。自己否定の立場＝自己変革の立場を失い、対象的現実を変革しうる主体へとみずからを変え訓練し鍛えあげていくことをかなぐり捨て、現状の自己に安住していることもできる。これらはすべて、人間が共同体的に自覚的存在であることにもとづくのであり、共同体的に自覚的であるということは、他面では同時に、これを反転させて、みずからを疎外することができる、ということでもあるからなのである。

動物は、けっして、疎外された社会を創造することはない。また、けっして、特定の一個体が、その動物種の集合体に自分を埋没させ、他の個体に依存することはない。すべてのそれぞれの個体は、あらかじめ、その動物種の集合体に埋没した存在であるからである。

二〇二一年一一月二三日

〈94〉黒田寛一の生前から、革マル派は彼を信奉する者の集団になっていた

「革マル派」は現在、異人種によってのっとられたかのような様相を呈している。毎号の「解放」の一面論文には、干からびた・反スタ諸理論の言葉も、図式化された・組織現実論の断片でもって考えたという痕跡も、まったくないからである。過去においてコツコツと勉強してきた、そしてそうしつづけてきたの

であろう労働者メンバーが芸術論にかんする論文を発表したことが、異彩を放っているほどなのだからである。

こうなったのはなぜなのか。それは、ほんの少し前に「革マル派」の指導部が自分たちを権威づけ組織を存続させるために、亡き黒田寛一を神として崇め奉る存在にまつりあげ、神主たる自分たちを黒田の言葉でもって飾りたてたのであったが、現指導部の面々は、そのように飾りたてる衝動にも駆られなくなった、ということにもとづく、といえる。すなわち、「革マル派」総体が、亡き黒田寛一をシンボルとして身を寄せ合うだけの政治動物の集まりと化した、ということにほかならない。

この現時点から過去を捉えかえすならば、黒田寛一の生前から、革マル派の組織成員の多くは、自分自身を黒田寛一の信奉者に仕立てあげていた、すなわち、黒田寛一という人物をおのれ自身の実存的支柱とすることが組織的主体性であると感覚し思いこむようになっていたのだ、といわなければならない。

思いかえせば、黒田寛一の死の何年も前から、彼を「反スターリン主義運動の創始者」と呼称する記載が「解放」紙上に登場していた。ひとはマルクスやレーニンに「創始者」という呼び名を冠することはない。

ロシアのボルシェビキ党には、主体性論はなかった。だが、主体性論をもっている革マル派の諸成員、その多くのほうが、ボルシェビキ党の諸成員にとってのみずからとレーニンとの関係よりも、おのれと黒田寛一との関係を主客未分化にしている、というべきであろう。

スターリンは、ロシアの共産党員に、そしてロシアの人びとに、さらにその他の国ぐにの共産党員に、自分を崇拝させた。このことの根拠は、西ヨーロッパ諸国の共産党員がこぞって彼を崇拝したことをみれば明らかなように、これを、ロシアの後進性にもとめるべきではなく、スターリンが、ロシアの骨のある共産党員をすべて肉体的に抹殺したことにもとめるべきである、と私は考える。ロシアの共産党員が現にもっていた主体性は、彼の頭脳と肉体そのものを抹殺することによってしか粉砕しえなかったのである。スターリンを崇拝する人物だけが残ったのである。

革マル派の組織成員にとって、黒田寛一は偉大であり、唯一無二の人であった。そうであったとしても、おのれと黒田寛一はともに組織の一員なのであり、おのれと彼の関係は、組織の一員であるおのれと組織の一員である彼の関係なのである。だが、彼を唯一無二の人であると感覚することそれ自体に自覚的・無自覚的に高揚感をいだいて、多くの組織成員は、おのれが彼と一体であると感じることが、したがって彼に自分を認めてもらうことが、だからまた彼の著書の言葉を自分の口と筆でくりかえすことが、組織的主体性の確立であると思いこむ、という錯誤におちいったのだ、といわなければならない。彼の著書については、それの引用文をふりかざすのではなく、われわれは、その内容を、それを書いた主体である黒田寛一その人との関係においてつかみとり主体化し、おのれが主体化したところのものを現実的に適用するのでなければならない。

この錯誤への陥没が、今日の「革マル派」の姿の根源をなす、と私は考えるのである。

二〇二一年一一月二三日

〔95〕 日本はどうなの？　日本でも前衛党は不在なの？

「革マル派」現指導部は、「解放」最新号（第二六九六号二〇二一年一一月二九日付）の「一二・五政治集会」への呼びかけ文で言う。

「だが痛苦なことには、ソ連邦崩壊以後の脱イデオロギー化、ネオ・スターリニストの腐敗、社会民主主義者の消滅、そして各国における前衛党の不在のゆえに、呻吟する労働者・人民の怒りや怨嗟の声はなお階級的反撃へと高められてはいない。」

「各国における前衛党の不在」??

アレ？　日本ではどうなの？　日本でも前衛党は不在なの？　「革マル派」は前衛党ではないの？　「革マル派」って何なの？

ああ、そうなの。「革マル派」の現指導部は、自分たちの組織を前衛党だとは感覚していないんだ。ああ、そういうことなの。自分たちの組織をプロレタリア前衛党だとは、ちっとも思っちゃいないんだ。

彼らには、「日本ではわが反スターリン主義革命的前衛党が奮闘しているとはいえ、世界の他の各国では前衛党が不在であるがゆえに」、というように自分の頭をまわす、というようなことはまったくないのだ。

彼らは、そのような感覚が働く、ということとはまったく無縁なのだ。

ましてや、彼らは、「世界の他の各国では前衛党が不在であるというだけではなく、日本におけるわが反スターリン主義革命的前衛党の組織的力がなお不足していることのゆえに」、というように感覚し頭をまわすことはないのだ。彼らには、労働者階級の現状を自分たち前衛党の責任と感じるような自己否定的感性はまったくないのだ。

彼らは、自分たちのことを、「呻吟する労働者・人民」だと思っているのだ。彼らは、時空を超えた宇宙から前衛党が降ってくるのを、口を開けて待っているだけなのだ。

彼らは、自分たちが、前衛党組織建設に心血を注いだ同志黒田寛一と無縁な存在と成り果てたことを、みずから宣言したのだ。

二〇二一年一一月二五日

〔96〕 脳ミソの干上がり

「解放」最新号のトップ論文は、「パンデミック」という言葉だけでつづられている。

「新型コロナ・パンデミック下での」「新型コロナ・パンデミックがはじまって約二年」「パンデミックを口実にして」「コロナ・パンデミックをつうじていよいよ」「パンデミック下で自民党政府と」リードだけで「パンデミック」がこれだけ出てきた。筆者の頭のなかは「パンデミック」のパンデミックだ。

「革マル派」現指導部の面々の脳ミソは干上がってしまった。脳神経細胞が「パンデミック」という言葉に感染し大流行してもらわないことには、「解放」紙面も埋められない、という状況であるようだ。

二〇二一年一一月二五日

〔97〕芸術理論論文の執筆は二〇一七年八月十四日だった

「解放」第二六九五号にその〈下〉が掲載された島村健康「一九二八年の中野・蔵原論争――「芸術大衆化論争」について」という論文の執筆は、「二〇一七年八月十四日」となっていた。

私が知っているときには、島村健康はコツコツと勉強し理論論文を執筆する労働者同志であった。

彼が二〇一七年に執筆した論文が、二〇二一年末のいま「解放」に掲載されたということに、彼の身に何かがあったのではないか、という悪い予感が私の脳裏を走った。私は彼を案じる。

「革マル派」のいまの指導部の面々も、編集局のメンバーたちも、彼のこの論文を検討する能力をもたず、今日まで放置されてきたのだ、と思われるからである。だから、この論文の「解放」掲載には理論外的なものが働いた、と思われるからである。

二〇二一年一一月二九日

〔98〕私の批判を気にして精いっぱい虚勢をはった

「解放」最新号（第二六九七号二〇二一年一二月六日付）のトップ論文は、次の言葉で締めくくられている。

「世界の労働者階級・人民の未来は、ひとえにわが反スターリン主義革命的左翼の奮闘にかかっている。われわれは日本の地で、反スターリニズム運動の怒涛の前進をかちとろうではないか！　その闘いの真紅の旗は、〈反帝国主義・反スターリン主義〉である。」

「革マル派」現指導部は、私の批判を気にして精いっぱい虚勢をはったようだ。その言葉の中身は、まったく空っぽであるとしてもそうである。そのスローガンは、風に揺られている旗に書かれた文字でしかないとしてもそうである。

「旗」などというものをもちだせば、私に揶揄されるに決まっているのに、彼らは、旗に書かれた文字をもちだす以外にないのだろう。

二〇二一年一二月二日

〔99〕　女性や六五歳以上の者の搾取を強化して延命を図る日本資本主義

「停滞の二〇年」――日本の設備投資の動向である。

経済協力機構（ＯＥＣＤ）の資料によれば、設備の総量をしめす「生産的資本ストック」の伸びは、二〇〇〇年から二〇二〇年の二〇年間に、イギリスは五九％、アメリカは四八％、フランスは四四％、ドイツは一七％であったのに、日本は九％にすぎなかった、という。日本では大して設備投資がおこなわれなかったのである。

これとは対比的に、日本では二〇一〇年代の一〇年間に、人口減にもかかわらず就業者数は三七八万人増え、とくに女性や六五歳以上の働き手が多くなったのだという。

日本の資本主義は、女性や六五歳以上の人たちを、搾取材料として、もろもろの生産工程や流通部門やまた事務部門などにくみいれ、彼らをこき使い搾り取る、というかたちで延命してきたのである。

ロボットなどを駆使して壮年層の労働者をこき使った欧米諸国の資本主義よりも、日本の資本主義の方がよりいっそう無慈悲であり冷酷非道であった、というべきか。いずれであったとしても、独占資本家どものあがきなのである。

全世界の労働者たちは、独占資本家どもによる搾取の強化をうち破るために階級的に団結してたたかおう！

〔100〕労働者階級は革命の主体ではなく救済の対象！

二〇二一年一二月五日

「解放」最新号（第二六九八号二〇二一年一二月一三日付）の一面トップ論文のスローガンは、「岸田政権の貧窮人民切り捨てを許すな！」だ。「革マル派」現指導部にとっては、労働者階級は革命の主体ではないのだ。彼らは、労働者たちを「貧窮人民」とみなし、救済の対象と見ているのだ。彼らは、よくいって、ロバート・オーエンらの空想的社会主義者のようなものになっているのだ。

いや、やはり、こういってしまえば、彼らの美化だ。彼らは、「貧窮人民」とみなした労働者たちを自分たちが救うというのではなく、現存ブルジョア政府たる岸田政権が救済すべきものとみているのだからである。そうみたうえで「切り捨てを許すな」と怒って見せているのだからである。

彼らには、独占資本家どもによる労働者たちの搾取の強化に反撃する、という指針はない。

彼らは言う。

「こんにち米・日・欧などの世界各国が「二〇五〇年の温室効果ガスの排出実質ゼロ」を掲げ「脱炭素」へと大きくカジを切ったことによって、油田・ガス田開発への投資はこの五年間で半減している。このことが現下の原油価格高騰の背景をなしているのだ。」

「脱炭素」について語る彼らをつき動かしているものは、独占資本家どもが油田・ガス田開発への投資をおこたっているという怒りなのだ。彼らの怒りは、自分自身が消費者の立場にたち、労働者たちを消費者とみなして、油田・ガス田開発に投資しないから原油価格が高騰し物価が上がって困るじゃないか、という代物なのだ。

独占資本家どもが労働者の搾取を強化しているという現実は、彼らの目にはまったく見えていないのだ。自動車産業に端的に見られるように、テスラや中国企業と同一の企業戦略をとるホンダは、電気自動車の開発と生産に邁進して、従来の部門の労働者たちの首を情け容赦なく切るという行動をとり、他方、エンジン部門を少しでも長く残したいトヨタなどは、トヨタ生産方式にもとづいて、自企業および系列諸企業の労働者たちの搾取と収奪を遮二無二強化している、ということは、彼ら「革マル派」現指導部の眼中にはない。彼らは、労働者たちの苦しみとは無縁な存在に成り果てているのである。

二〇二一年一二月九日

〈101〉老いぼれたアメリカ帝国主義、その権力者のむなしいあがき

アメリカの国家権力者バイデンは、みずからが招集した「民主主義サミット」で、「民主主義にはリーダーが必要だ」、としゃべった。まるで他人事だ。もはや、世界の覇権争いにおいて中国に敗北していくことに、

ただただあがいているという体なのである。自分が何をやっているのかを棚に上げて、中国を「専制主義国家」と烙印し非難するだけが術なのだ。

スターリン主義国家から転化した中国国家資本主義国家は、帝国主義と同様の諸行動をとり、のしあがってきているのである。アメリカ帝国主義を盟主とする在来型の現代帝国主義諸国家群は、中・露の、スターリン主義国家から転化した国家資本主義国家に追いつめられてきているのである。

在来型の現代帝国主義諸国家も、スターリン主義国家から転化した国家資本主義諸国家も、労働者階級の搾取と収奪と抑圧を徹底的に強化して、互いに抗争しているのである。

全世界のプロレタリアートは、在来型の帝国主義諸国家をも、スターリン主義から転化した国家資本主義諸国家をも、連続的に打倒しなければならない。その世界革命戦略は、〈反帝国主義・反スターリン主義〉である。

二〇二一年一二月一〇日

〈102〉 脳神経細胞はいくらでものびる！

人間の脳神経細胞はいくらでも縦横無尽にのびる。いくつになっても、である。いくつになっても筋肉は、鍛えれば鍛えるだけ鍛えられるように、いやそれ以上の度合いで、脳神経は鍛えれば鍛えるだけ鍛えられるのである。個々の脳神経細胞そのものは年とともに死んでいく（酒やタバコをのめば、この死ぬスピードは速くなる）。だが、ニューロンとニューロンとを接続するシナプスは、上下左右ななめ、立体的に縦横無尽にのびるのである。われわれの感覚する力・考える力はこれに決定される。要は、自分自身を鍛えるかどうか、自分自身を訓練するかどうかにかかっている、と私は思うのである。

自分の直面している現実を分析し考えるときに、そして自分の実践の指針を構想するときに、さらに他のメンバーが遂行した実践の報告を聞いてつかみとるときに、自分が考えるために自分のうちにおいて自分のうちから動員するものがあまりにも少ないことを克服しなければならない。他のメンバーから何らかの提起をうけたときに、この提起を理論の地平においてうけとり考えてしまい、この提起を、自分が遂行した実践との関係において、そして自分が直面している現実との関係において、つかみとり考察する、という頭のまわし方ができない、ということを克服しなければならない。

自分が何らかの事態に直面したときに、また何らかのものを読んだときに、自分の過去の経験や、他のメンバーたちからその経験として聞いたことや、自分がこれまでに種々の部面にかんして構想してきたことや、自分がこれまでに理論的および論理的に学んだことや、そして他のメンバーたちから技能として伝授されたことなどのすべてを、しぜんに・そして意識的に・自分のうちにわきあがらせ、これらすべてを適用して考える、というように、自分自身を訓練しなければならない。

そのようになしうる物質的基礎たる脳の構造は自分自身に現存するのである。一切は自分を訓練することにかかっている、と私は考えるのである。

ともに自分自身を訓練していこう。

〈103〉コオロギ食で生き残りをはかるエンジン部品企業

二〇二一年一二月一〇日

昆虫食が未来のたんぱく源として期待されている、というニュースを今朝のNHKでやっていた。いま注目されているのがコオロギ。

脱炭素産業革命によって自動車独占体から切り捨てられることに危機意識を燃やしたエンジン部品製造企業が、生き残りをかけて、コオロギを加工していろんな食品をつくる技術の開発と生産にのりだしているのだという。金属を粉末にして高熱で加工する技術を活かして、コオロギを粉末にして高温で加工してスナック菓子などをつくるのだそうだ。

試食した記者は「香ばしくておいしい」と言っていたが、私は手をだせそうにない。

資本の延命策なのだとはいえ、日本労働運動の現状をみすえ、切り捨てられることが確実なこの企業の労働者の生活を考えると、私は複雑な思いに駆られる。この企業の労働者たちはいかにたたかうべきなのか。

高瀬キャスターは、「まだ抵抗はありますが、徐々に気持ちを整えていきたいと思います」、と言っていた。

〔104〕脱炭素化にネガティブとみられていることの払拭に懸命――トヨタ

二〇二一年一二月一三日

トヨタ自動車の豊田章男社長は、ＥＶ（電気自動車）の二〇三〇年の世界販売目標を三五〇万台とすると発表した。これは、ＦＣＶ（燃料電池車）をふくめて二〇〇万台としていた従来の目標から大幅に引き上げるものであり、研究開発や設備投資に四兆円を投じる、という。

この男は、世界の自動車大企業のなかでトヨタが脱炭素化にもっともネガティブな姿勢であるとみられている、この冷たい視線を払拭することを企てたのである。

だが、それは、トヨタが、世界の自動車企業のなかで、労働者たちをもっとも無慈悲に搾取し、自資本をもっとも強烈に増殖することを狙うものにほかならない。

二〇二一年一二月一五日

〈105〉 仏さまに導かれているという信仰心

政治集会の報告で「革マル派」現指導部は言う（「解放」最新号＝第二六九九号二〇二一年一二月二〇日付）。

「われわれはいまは亡き同志黒田に導かれて、わが反スターリン主義運動の前進を切り拓くために全力でたたかってきた。」と。

「われわれはいまは亡き同志黒田に導かれて」だと!!

「われわれは同志黒田が創造した反スターリン主義理論を主体化して」でもなければ、「われわれは同志黒田の指導のもとに強化確立してきたわが組織を組織的主体的拠点として」でもない。ましてや「われわれは同志黒田寛一の実践的立場＝革命的マルクス主義の立場をわがものとして」ではない。

自分たちは、亡き人に導かれている、というのだ！ 彼らは、自分たちは仏さまに導かれているという信仰心でいっぱいなのだ！

神がかり・仏だのみは、ここに極まった！

「革マル派」現指導部は成仏を

南無阿弥陀仏　ナンマイダブツ　ナンマイダー　ナンマイダー

二〇二一年一二月一六日

〈106〉かつての若手のホープも健在??

「革マル派」現指導部は、今年の政治集会では、「かつての若手のホープは健在だ」ということをしめして、瓦解する組織のタガハメをやりたかったのだろうか。

去年の政治集会では、最古参のホープであった常盤哲治を登壇させて、組織のタガハメを策したのだが、今年は、かつての若手のホープの登壇というわけか。

基調報告をしゃべった米井繁は、かつては若手のホープであった。

理論的能力のない「革マル派」現指導部は、葉室真郷・吉本龍司・片桐悠らなきあと、若手の理論家はいるんだ、としめしたいあまりに、米井繁に「地球温暖化」にかんする論文を書かせたのであったが、私に「この男は死んでいるのか」と批判されてしまった。そういうことで、今回、米井繁の生きた姿を登場させた、ということなのであろう。

そうしたのだが、米井は、「暗黒」「暗黒」と、「暗黒」とばかりしゃべった。彼の頭のなかは暗黒なのだろう。現指導部の牛耳る「革マル派」は、彼ら自身が言うように「暗黒に覆われている」のだろう。

二〇二一年一二月二〇日

〈107〉中国のＥＶ企業、乗用車の分野でも日本に進出

中国の自動車諸独占体は、乗用車の分野でもＥＶ（電気自動車）を投入して、日本市場への進出を開始した。中国第一汽車集団は、日本で初めてとなる販売店を設けて、二〇二一年夏にＳＵＶ（多目的スポーツ車）を売り出す計画をうちだした。比亜迪（ＢＹＤ）はすでに中型車の販売をはじめた。中国の諸企業はエンジン車では日米欧の諸独占体の牙城を崩せなかったのであったが、技術開発の世界的な流れがＥＶに転換したのを機に世界市場に進出するという企業戦略をとったのであった。中国の諸企業は、商用のＥＶの分野では、対応する車種がまだ少ないという日本の諸独占体の弱点を突いて、日本への輸出を急増させてきた。いま、乗用車の分野においても、ということなのである。

トヨタは、いろいろなＥＶの車種をそろえるという方針をうちだしたのであったが、それは、中国勢のこのような攻勢への対応ともいいうる。

世界の自動車諸独占体は、労働者たちの搾取を強化するための競争にしのぎをけずっているのである。

全世界の労働者たちは階級的に団結して、独占資本家どものこの悪辣な攻撃をうち破ろう！

二〇二一年一二月二〇日

〈108〉神の国への昇天と脱色化、その隠蔽に必死

ようやく「解放」新年号（第二七〇〇号二〇二二年一月一日付）がでた。

そのトップ論文の特質は、格調の低さへの何の恥じらいもなく、ドブ板的現実密着主義を披瀝するとともに、過去に覚えたカテゴリーをもちだしているという点にある。

これを規定している「革マル派」現指導部の心情は、われわれの批判から身をかわし、われわれによって暴きだされた醜いみずからの姿を何としてもおおい隠したい、ということにある。すなわち、われわれによって白日のもとに暴きだされたところの、黒田寛一を神として崇め奉るという神の国への昇天と、次亜塩素酸ナトリウムをみずからブッかぶっての脱色化、この姿を隠蔽したい、ということなのである。

こういうことを実現するためには、トップ論文の筆者として、かつての若手のホープ米井繁がうってつけだ、ということなのである。この人物は、新聞記事を長々とまとめるのが得意であり、カテゴリーをその物質的基礎とは関係なしに覚えるのにたけているからである。

無能な「革マル派」現指導部の期待を一身に背負ったこの人物が案出したのは、次の言葉である。「〝中国式のネオ植民地主義〟」と「中華ナショナリズム（スターリン主義的ナショナリズムと伝統的中華思想とが相互浸透したようなそれ）」とが、それである。彼は、「ネオ植民地主義」とか「スターリン主義的ナショナリズム」とかというカテゴリーを思いだすことのできる数少ない人間なのである。シーラカンスという

べきか。

彼はこれまで指導部ヅラをしてきた男たちほどには鉄面皮にはなれないのであろう。彼は、また、完全にコピペ（コピー・アンド・ペースト）人種である彼の次の世代の男たちほどには政治動物にはなりきれないのであろう。気の弱い人間である。自信がないのであろう。前者の言葉にはチョンチョンをつけ、後者の言葉には「ような」という語を挿入して、「自信がありません」とみずから表明しているのだからである。

彼らは鳩首協議をやっているのかもしれない。別の論文では見出しだけしかわからないが、中国にかんして「∧擬似資本主義∨」と規定していた。この言葉は、同志黒田寛一がソ連崩壊の直後にロシアを規定して使った言葉である。この用語は、何ら経済学的に整備された概念ではない。

ここから見えてくるものは、彼らの理論的論理的能力の消失であり、プロレタリア的感性の雲散霧消である。

二〇二一年一二月二四日

〔109〕斎藤幸平に涎たらたら！　エコロジストの党に転身！

「革マル派」現指導部は、『人新世の「資本論」』を書いてマスコミと独占資本家どもにもてはやされている斎藤幸平に羨望のまなざしを向け、よだれをたらたら垂らして、エコロジストの党への転身を宣言した。

新年号巻頭論文の最後に言う。

「いま帝国主義諸国権力者も「市場社会主義国」中国の権力者も、いまさらながらに地球環境を守るために「脱炭素社会」をめざすかのような言辞を振りまいている。だが支配階級はいつも「わが亡き後に洪水は来たれ」であって、彼らはあくなき利潤欲のために、・みずからの生き残りのために、「脱炭素」を掲げているにすぎない。」――なお、この巻頭論文については、枝葉を刈りこむ葉室真郷がもはやいず、その全体はうっそうとしたジャングルなので、この最後の節を読むだけでよい。――「わが亡き後に洪水は来たれ」は、斎藤幸平が、マルクスが『資本論』で引用した言葉を、ドイッチャー賞を受けることとなった本『大洪水の前に』の題名として借用したものである。

こんな言葉が頭にこびりついて離れないほどに、「革マル派」現指導部は、斎藤幸平にいかれているのである。

帝国主義諸国権力者も中国の権力者も「脱炭素社会」をめざすかのようなポーズとっているだけであって、嘘っぱちなのだから、いまこそ「地球環境の破壊を弾劾する闘い」を展開せよ、というわけなのである。

脱炭素産業革命にもとづく労働者階級への大攻撃に反撃するという構えも立場も指針もまったくない。いや、彼らは、国家権力者どもと独占資本家どもがおしすすめる「脱炭素」の流れに乗ったのだ！

彼らは、資本による賃労働の搾取を問題にすることはまったくなく、「環境的自然の乱開発の悪と「資本制経済そのものの悪」」なるものを問題としているにすぎない。彼らの怒りと価値意識は、儒教的な「悪」である。プロレタリア的なものは何もない。これぞ、プロレタリアートに不信を抱いた者のなれの果てだ。階級と国家の存在は、それ「が存在するかぎり」「地球環境の危機は打開しえない」として、問題とされるにすぎない。

これは、まさに、エコロジストそのものである。斎藤幸平そのものである。

「戦争と圧政と貧困と環境破壊に苦しむ全世界の虐げられた人民が、われわれを待っている」というわけなのである。彼らは労働者階級の階級的組織化を棄てた！　マルクス主義を棄てた！

「革マル派」現指導部を打倒せよ！

二〇二一年一二月二六日

〈110〉自分の体を脱色したうえで緑色に染めた！

「革マル派」現指導部は自分の体を脱色したうえで緑色に染めたのだ！

彼らは、エコロジストの党に転身した！

彼らは、労働運動の組織化において破産した。右翼組合主義も賃プロ魂注入主義も何ら反省しえていない。そのなれの果てがこれだ。彼らは労働運動から逃亡した。彼らは労働者階級の階級的組織化に背を向けた。

二〇二一年一二月二六日

〔111〕〈擬似資本主義〉——中国の規定を玉虫色に

〈擬似資本主義〉という現代中国にかんする新たな規定を「革マル派」現指導部はうちだした。「解放」新年号の手稲昌彦論文である。これは、これまでの「中国＝ネオ・スターリン主義」という規定をなしくずし的に修正するもの、すなわち形式上はその用語を残しながら内容上では改変するというものであり、この手法はスターリン主義者に伝統的なものである。彼らは「ネオ・スターリン主義」概念を、スターリン主義者に伝統的な手法を模倣して・いやそれに従順に従って換骨奪胎したのである。

「革マル派」の指導部を新たににぎった者たちは、無能な自分たちを権威づけるために、新たな人物を御用学者に仕立てあげるのを常とする。

二〇一二年に前原茂雄（＝常盤哲治）を責任者の地位から追放して政治組織局を掌握した者たちは、水木章子を御用学者に仕立てあげて「中国＝ネオ・スターリン主義」という規定をうちだした。今回、「革マル派」組織を緑色に染めあげた者たちは、手稲昌彦を御用学者に仕立てあげて「中国＝〈擬似資本主義〉」という規定をうちだしたというわけなのである。現代中国の政治経済構造の規定にかんしては玉虫色に染めたというべきか。

手稲昌彦は、私よりもほんの少し若いだけの老齢の人物である。利用するのに、もうこのような人物しかいないということなのだろう。「手稲昌彦」という名は、同志黒田寛一に「よくできている」とほめられたこの筆者の論文につけられていたペンネームである。緑色の者たちが、自分たちを権威あるものと見せかけるためにはこのペンネームを活用するのが一番いい、ということなのだろう。

手稲昌彦は、気の弱い・政治的感覚の乏しい人物である。彼がこのような人物であったればこそ、緑色の者たちは彼を利用できたのであろう。

＜擬似資本主義＞の内容は、中国では「価値法則がそれとしては貫徹しない商品経済が展開されることになっている」、というものである。

こんな規定は、ブルジョア・エコノミストにさえ、馬鹿にされ、笑いものにされるものであり、現実感覚の欠如したものである。もしも中国経済に「価値法則がそれとして貫徹しない」のであるとするならば、世界の投機屋どもは中国の諸企業の株式を安心しきって買っていられるわけなのである。

水木章子や酒田誠一であるならば、このような規定は、恥ずかしくてもちだすことはできなかったであろう。これまで中国経済を一度として分析したことのない手稲であればこそできたことなのである。

＜擬似資本主義＞という用語は、緑色の者たちにとって、スターリン主義者ばりの手法を使うためにきわめて重要なものなのである。このことは「＜ネオ・スターリン主義官僚専制体制に組みこまれた資本主義経済＞」という手稲の規定に端的にしめされている。すなわち、「ネオ・スターリン主義」という規定は政治体制にかんするものとしてのみ限定して使い、中国の経済形態については「資本主義経済」と認める、ということなのである。

黒田寛一自身、＜擬似資本主義＞という用語は、エリツィン支配下のロシアの経済にかんして、すなわちゴルバチョフが大統領としてソ連のスターリン主義政治経済体制を解体して資本主義的なものに転換したという結節点の後のロシアの経済を規定して使ったものなのである。しかしもちろん、ロシアの経済のその後の推移をみても明らかなように、〈擬似資本主義〉という規定は誤りであった。ロシアの経済は、国家資本主義と規定すべきだったのである。〈擬似資本主義〉という概念それ自体が、――「擬似」などという弁証法的論理にはない用語が付されているように――マルクス経済学的考察にたええないものなのである。（エリツィン支配下のロシアの政治経済構造を〈擬似資本主義〉と分析することの誤りについては、『ロシア・中国の変質と反スターリン主義』（創造ブックス、二〇一八年刊）の「II　ロシアの資本主義的変質の構造」と見ていただきたい。）

ロシアの経済も中国の経済もともに帝国主義世界経済のもとに編みこまれている今日に、〈擬似資本主義〉という概念をもちだすことそれ自体が、アナクロニズムなのであり、没経済学なのである。

二〇二一年一二月二六日

〈112〉　ＪＲ総連元役員・四茂野修の後塵を拝する

「革マル派」現指導部はエコロジストに転向した。彼らは、ＪＲ総連元役員・四茂野修の後塵を拝したのである。とはいえ、彼らは、四茂野修の猿まねをしたというわけではないであろう。前衛党を自称する者が労働組合の役員であった人物の猿まねをしたというのではあまりにもみっともないからである。

四茂野修は、東京大学の全学連フラクションのメンバーとして活動していたうえで動力車労働組合の書記に就職し、ずっと「鬼の動労」松崎明のそばにいて労組の役員職を歴任してきた人物である。彼は『われらのインター』の編集をやっていたのであったが、松崎明の死後に変質してしまった。立派な人を崇拝するだけの人間は、その人が亡くなるとともに変質してしまうものである。『われらのインター』も廃刊となって久しい。

彼が最後の仕事として自己に課したのは、松崎明の評伝を仕上げることであった。だが、彼は、それが松崎明に背くことであることを自覚せずに、その本のあとがきの最後に次のように書いたのである。

「「責任追及から原因究明へ」は、労働者への企業からの責任追及を止めさせることを求めるだけのものではなかった。事故の起きた原因を究明し、再び同じ事故を起こさない働き方を、労働者が自らの手で追究することを求めている。

そこには、自然と人間との物質代謝を媒介する人間労働を、資本の命令という枠組みから解き放ち、自らつくりだす意識的な活動へ転換するという大きな夢が孕まれていると私は考えてきた。事故だけでなく二酸化炭素の排出にも目を向け、資本主義の生み出してきた様々な不合理を解消することが求められている。改めて広く社会的な連携を創造し、前に進むことが、労働組合に求められているのではないか。そして、そこにこそ抵抗を通じて発現するヒューマニズムがあると私は思う。

このような運動を担う労働組合が、どうすればできるのか、私にはまだわからない。松崎の努力を受け継ぎ、それを探究していきたいと思っている。新型コロナウイルスの感染が全世界に広がったいま、この世界全体をどう変えるかは、ある意味で切迫した問題だろう。労働組合はその中心的な役割

を担いうると私は信じている。」（四茂野修『評伝・松崎明』同時代社、二〇二〇年刊、三七三～三七四頁）

ここで四茂野は、「再び事故を起こさない働き方」や「自然と人間との物質代謝を媒介する人間労働」を、プロレタリア革命の実現という結節点をぬきさって、超歴史化＝超階級化するかたちで把握し提示している。本文では、松崎明はつねに労働者階級の階級的組織化を追求してきたのだ、と強調していたにもかかわらず、この本の最後の最後で四茂野はその松崎明に背いたのである。

四茂野もまた、彼が学生時代に信奉していた黒田寛一の後を追うかのように、労働運動をどのようにおしすすめていけばいいのかがわからなくなってしまった。

この展開は、困難な階級的諸条件のもとで労働組合が反合理化闘争を推進するという追求から逃亡し、労働運動を斎藤幸平ばりのエコロジーの運動にみちびきいれようとするものである。

それでも、この四茂野には、労働運動を何とかしたいという挫折意識と使命感と気概があった。この本は――私はごく最近読んだのだが――二〇二〇年一二月に出版されている。一年前のことである。

ちょうどその一年後に、あたかもこの四茂野の猿まねをするかのごとくに、「革マル派」現指導部は、みずからがエコロジストに転向する決意を表明した。彼らには、挫折意識も、労働運動をおしすすめる気概も熱意も何もない。彼らはエコロジーの運動そのものに逃げこむことを意図しているのであり、彼らにあるのは、エコロジーの運動に逃げこんで生き延びたい、という自己保存の欲望だけである。

二〇二一年一二月二八日

〔113〕 何という政治的感覚をしているのか――独占資本家どもの尻馬に乗る

全世界の国家権力者と独占資本家どもが脱炭素産業革命にもとづく労働者階級への大攻撃をかけてきている今日このときになってエコロジストに転向するとは、「革マル派」現指導部はいったい何という政治的感覚をしているのであろうか。これは、独占ブルジョアどもの尻馬に乗るものである。故事どおりの意味で支配者の乗っている馬の尻に乗る以外には運動をつくれない、なすすべがない、ということなのであろうか。

第二新年号の中央学生組織委員会（SOB）論文の方針部分では、「階級が存在し国家が存在するかぎり、「かけがえのない地球」の未曽有の危機は決して打開されえない」と言う。

自分たちは、支配者が鞭打っている「脱炭素」の馬の尻に乗ってはいるけれども、その馬に、後ろを向いて・すなわち・まだ綺麗であったころの「かけがえのない地球」への郷愁に浸って乗っているから、前を向いて乗っている支配者とは違うんだ、というわけなのである。

彼らは、暗黒の巨大な流れに、後ろを向いて身をまかせてただよっているのであり、遠ざかり消え去っていくかすかな光にあらんかぎりの望みを託しているのである。

二〇二二年一月一五日

〈114〉「革命的ケルン」という言葉による展望喪失の隠蔽

「革マル派」現指導部は、「解放」最新号（第二七〇二号二〇二二年一月二四日付）に、例年と変わり映えのしない春闘方針論文を掲載した。

彼らが押しだしているのは、最後のほうの「革命的ケルン」という言葉なのであろうか。黒田寛一著の『組織論序説』などに出てくる言葉であり、いまはなき国鉄委員会の機関誌の名前であった「ケルン」という言葉をもちだして、自分たちは伝統を守っているのだ、というように見せかけたいのであろうか。探究派公式ブログに連載された松代秀樹論文によって、革マル派組織建設の破産とその根拠が徹底的にえぐりだされたがゆえに、かつては国鉄委員会があったのだ、という郷愁に浸りたいのであろうか。

彼らは言う。

「わが革命的労働者は、縦横無尽にフラクション活動を展開し、昨一年間の激闘をつうじて職場生産点に創造してきた革命的ケルンをさらにいっそう強化していこうではないか。」

これは、昨一年間、何もできなかったことの表白である。

しかも、である。

かつては「革命的ケルン」とは党細胞をさす言葉であった。今日の彼らにとっては、「革命的ケルン」とはフラクションをさす言葉となっている。彼らは、久しく、党細胞づくりと党員づくりを放棄し、それを革命的フラクションづくりに解消してきたのであった。革命的フラクションを党組織の代替物にしてきたのである。彼らは、いまや、論文を執筆するときにさえも、自分たちはプロレタリア前衛党の細胞建設をおこなっているのだ、と格好をつけることを忘れ去るまでに、展望喪失・茫然自失におちいっているのである。

彼らは、フラクション活動を展開しようと呼びかけることはあっても、党（員）としての党（員）の活動、すなわち独自活動を展開しようと呼びかける、という問題意識はまったくないのである。

プロレタリアートに不信を抱いている彼らにこんなことを言っても無駄であるとはいえ、そうである。

二〇二二年一月二二日

〈115〉 職場に誰もいないかのような現実感覚のない春闘方針

「革マル派」現指導部は、「解放」最新号（第二七〇三号二〇二二年一月三一日付）で春闘集会への呼びかけ文を出しているのだが、職場の現状についての現実感覚がまったくない。あたかも、職場で現に労働している労働者は誰もいないかのようだ。

彼らは言う。

「日本帝国主義の生き残りをかけて「デジタル化」「脱炭素化」のための産業構造再編を、労働者にあらゆる犠牲を転嫁しながら強行している独占資本家と岸田自民党政権にたいして、日本労働者階級の総力を結集して一大反撃をつくりだそう！」

こんなことを言っても、独占資本家どもがどのように産業構造の再編をおしすすめているのかの分析もそれへの怒りもまったくない。「労働者にあらゆる犠牲」と言っても、「あらゆる」という言葉でごまかしているだけだ。「犠牲の転嫁」と言うのだが、これでは、労働者に転嫁しなければならないような犠牲を独占資本家どもが被っているかのようだ。彼らは、デジタル化と脱炭素化において、アメリカや中国の諸独占体に敗北している日本の独占資本家どもに同情しているのではないだろうか。

さらに、彼らは、「全世界の労働者の国境を越えた階級的団結を創りだすためにたたかおう！」と言う。「国際的な階級的団結」と言うだけでいいのに、なぜ「国境を越えた」などと言うのだろう？　これでは、「国境なき医師団」みたいだ。自分自身が「アメリカの鎖につながれている」状態から日本を解き放ちたい、という民族主義に転落しているので、国境が気になって仕方がない、という感じだ。

二〇二二年一月二六日

〈116〉なぜ、外側からロシア・ウクライナの労働者にえらそうなことを言うのか

「革マル派」現指導部はウクライナについて次のように書いている（「解放」第二七〇三号二〇二二年一月三一日付）。

こういう主張はどこから出てくるのか。

彼らは言う。

「ロシアによるウクライナ軍事侵攻は、東西にひき裂くかたちで内戦の業火にウクライナ人民をたたきこむ犯罪なのだ。ウクライナにおける新たな宗教＝民族戦争の勃発を断じて許すな！」

ロシアによるウクライナ軍事侵攻は、ウクライナで内戦を引き起こすがゆえに犯罪なのか。ウクライナにおける新たな宗教＝民族戦争を勃発させるがゆえに問題なのか。ロシアによるウクライナ軍事侵攻は、それ自体が、ウクライナへの軍事侵略なのであり、われわれ反スターリン主義党（「革マル派」にたいしてこう言うときには、もしも「反スターリン主義党」を自称するのであるならば、ということだが）は、ロシアのウクライナへの軍事侵略を阻止するために、したがって軍事侵略を企てるプーチン政権を打倒するために、全世界のプロレタリアートの組織的力を創造しなければならないのではないだろうか。

プロレタリア世界革命の一環としての二一世紀現代のロシア革命、この各国革命の戦略という観点からいえば、プーチン政権の打倒はロシアのプロレタリアートの課題をなすのであるが、プーチンのロシアの

ウクライナへの軍事侵略を阻止することは、直接に全世界のプロレタリアートの課題をなすのであり、軍事侵略を企てるプーチン政権を打倒するために全世界のプロレタリアートを階級的に組織しその国際的な団結を創造することは、われわれ反スターリン主義党の直接の課題をなすのである。われわれは、プロレタリア世界党＝インターナショナルを創造するためにイデオロギー的＝組織的にたたかっているのだからである。ロシアにもウクライナにもアメリカにも反スターリン主義で武装したプロレタリアを創造しえていないことは、われわれの直接的な痛みなのである。

「革マル派」現指導部には、ロシアによるウクライナ軍事侵攻の問題は、あらかじめ他人事なのだ。

また彼らは言う。

「すべてのロシアとウクライナの労働者人民は、ウクライナを発火点としたロシアとウクライナ・米欧諸国との戦争勃発の危機を突破するために、反戦の闘いを国境を越えた階級的な団結を創造しつつ断固として創造せよ！

わが反スターリニズム革命的左翼は、重ねてロシア、ウクライナの労働者人民に訴える。」

ロシアのウクライナへの軍事侵攻は、このウクライナを発火点として戦争が起こるがゆえに問題なのか。この軍事侵攻それ自体が問題ではないのか。何と悠長な話なのだろうか。ロシアとウクライナ・米欧諸国との戦争勃発の発火点となるがゆえに、「革マル派」は、ロシアのウクライナへの軍事侵攻を問題にするのだ、というのである。先ほどは、ウクライナにおける宗教＝民族戦争を勃発させるがゆえに問題にする、と言っていたのだが、今度は、米—露戦争の勃発の発火点になるから問題にする、というのである。どこまでいっても、ロシアのウクライナへの軍事侵攻それ自体は問題にしないのである。

しかも、ロシア、ウクライナの労働者人民に、国境を越えた階級的な団結を創造せよ、と命令しているのである。「革マル派」現指導部は、ロシア、ウクライナの労働者人民に命令し説教を垂れる分際なのか。彼らは、全世界のプロレタリアートに不信を抱き、プロレタリアートに背を向けているがゆえに、上から目線で、こんなえらそうなことが言えるのである。そうでなければ、自分たち自身が日本のプロレタリアートを階級的に組織しえていないことへの自省の念に駆られるはずなのである。

彼らはさらに言う。

「こうしたロシア・ウクライナ両国の労働者人民の国境を越えたプロレタリア的な団結の創造こそが、ウクライナを発火点とする米・欧―露の世界的な大戦の勃発の危機を突破するただ一つの道なのだ。」

彼らは、どうも、世界のなかにロシアとウクライナだけの狭い枠をつくって、この両者の紛争が世界的な大戦の勃発に発展しない解決形態は何か、というように発想しているようだ。このように発想したうえで、その解決形態は、両国の労働者人民の国境を越えたプロレタリア的な団結だ、というように、解決されたあかつきの未来像を、彼らは描いているわけなのである。この図式のなかには、ヨーロッパやアメリカのプロレタリアートも日本のプロレタリアートも中国のプロレタリアートもいない。こんなことで、どうやってプーチンのロシアのウクライナ軍事侵略を阻止する階級的な力を創造することができるのだろうか。

しかも、彼らは、ロシアとウクライナの労働者階級がどうなってしまうのかということはあまり心配ではなく、ウクライナを発火点として米・欧―露の世界的な大戦が勃発することだけが、すなわち「再び欧州が戦火と硝煙と人民の阿鼻叫喚に覆われる」ことだけが、心配であるようなのだ。ということは、どうも、彼らは、自分たちは反戦闘争をやりたいので、ロシア軍がウクライナをほとんど抵抗もなく占領するというような事態ではなく、ヨーロッパ全土を舞台にしてＮＡＴＯ軍とロシア軍が激しく戦争するというような危機が醸成されてほしい、と願望しているようなのである。

さらにさらに彼らは言う。

「今こそ、日本の労働者人民は、たたかうロシア、ウクライナ人民と連帯して、ロシアのプーチン政権によるウクライナ軍事侵攻に断固反対するとともに、米・欧帝国主義の軍事介入にも反対する革命的反戦闘争に起ちあがれ！」

米・欧帝国主義のやろうとしていることは、はたして、軍事介入なのだろうか。「介入」などと言うのでは、問題はロシアとウクライナとのあいだでの紛争なのに、これに部外者の米・欧帝国主義が介入するのは悪い、という価値意識を働かせていることになる。ここは、スローガン的に表現するならば、米・欧帝国主義のロシアへの対抗的軍事行動を阻止せよ！　でなければならない。

しかも、この文中の「日本の労働者人民」は、あくまでも部外者なのである。描かれているのは、部外者が日本で革命的反戦闘争に起ちあがる、という像なのである。

どうも、「革マル派」現指導部が言いたいのは、ロシアのウクライナ軍事侵攻を阻止するのはロシアのプロレタリアートであり、米・欧帝国主義の軍事介入を阻止するのは米・欧のプロレタリアートであって、日本の地にいる日本の労働者人民は日本という地理的限定があってそのいずれをも阻止することはできないのであり、反対するだけだ、ということのようである。そのような枠を自分と日本のプロレタリアートにはめているようである。

だが、いま、われわれは各国革命の戦略について論じているのではないのである。ロシアのウクライナ軍事侵略と米・欧帝国主義の対抗的軍事行動とをともに阻止するためには、われわれは、全世界のプロレタリアートを階級的に組織し、その国際的な団結を創造しなければならない。日本の反スターリン主義党は、みずからを部外者の位置におき、日本のプロレタリアートに、それらの「阻止」ではなく、それらへの「反対」というように、控えめに訴えるのがよい、ということにはならないのである。そのように考えるのは、場所的＝実践的立場を喪失して、各国ごとの地理的限定という枠を自分自身と各国のプロレタリアートにはめ、その枠でもってがんじがらめに縛り、地理的限定を国境に実在化するとともに、その地理的限定を民族的限定のようなものに高めるものである。

二〇二二年一月二九日

著者
松代秀樹（まつしろひでき）
著書 『「資本論」と現代資本主義』（こぶし書房）
『松崎明と黒田寛一、その挫折の深層』（プラズマ出版）など

革マル派の死滅
熱き黒田寛一を蘇らせよう

2024年2月8日　初版第1刷発行

著　者　松代秀樹
発行所　株式会社プラズマ出版
〒274-0825
千葉県船橋市前原西1-26-19 マインツィンメル津田沼202号
TEL：047-409-3569
FAX：047-779-1686
e-mail：plasma.pb@outlook.jp
URL：https://plasmashuppan.webnode.jp/

ISBN978-4-910323-53-4　C0036